파커

파커

명지현
소설집

청색종이

파커

명지현 소설집

파커

시간이 부족한데 또 이렇게 허투루 날려버렸다. 변기에 걸터앉은 궁둥이가 무감각하다. 얼마나 오래 버텼나. 화장실, 사면의 벽이 답답해 왼쪽으로 몸을 비튼다. 다시 반듯하게 자세를 고쳐앉아 깊은 심호흡을 연거푸 두 번, 세 번, 네 번. 날숨과 들숨을 차분하게 고르는 것만으로 신경이 곤두서는데 뱃속 이질감이 몸 전체로 퍼져 간다. 대장에 벽돌이 들었다. 손발이 차게 식으며 이대로 굳어버릴 것만 같다. 굳는다. 정말 굳었다. 출구는 꽉 막혔고 꾸룩거리던 배는 그새 잠잠해졌다. 한밤중 산속처럼 아무 기척 없이 고요하다. 이만 포기해야 하나. 다이너마이트를 항문으로 밀어 넣고 싶다. 무력한 장기를 응징해 고통을 해소할 방법 중 파괴력이 높은 순서를 꼽아본다. 다이너마이트, 송곳, 망치. 핵탄두, 진한 커피와 관장약.

주섬주섬 바지를 올리다 벽을 짚고 선다. 발이 저리다. 세면대를 붙잡고 허리를 중심으로 스트레칭을 서너 번 하고 수도꼭지를 튼다. 화장실에서 사십오 분이나 허비했다. 허탈한 감정을 비누칠해 싹싹 씻어버린다. 하루 치 작정한 분량을 채우려면 바짝 덤벼야 하는데 변비 때문에 완벽하게 몰입하지 못한다. 번역하다 보면 고질병이 시작되고 변비가 해소되지 않으면 원고작업이 막히는 악순환. 결국은 체력 싸움이다. 기력이 쇠한 몸은 눕기를 원하나 한 번 누우면 서너 시간 훌쩍 날아가는 걸 알기에 비척비척 책상으로 간다.

두툼한 원서를 챕터 별로 낱낱이 뜯어버렸기에 책상 위에는 얄팍한 종이 묶음이 너저분하다. 어디까지 했더라? 한 시간 전까지 붙들고 있던 내용이 그새 아득하다. 책자의 문장들, 알파벳으로 이루어진 조밀한 낱말들이 간소하게 뭉뚱그려지며 마치, 이건 뭐랄까, 규칙적인 무늬 같다. 가로줄 벽지 무늬, 화장실 타일 무늬, 그렇고 그런 무늬들. 밖에서 구급차 경보음이 비웅비웅비웅 들린다. 확성기 목소리가 불안하게 왕왕거리는데 뭐라고 말하는지 알아듣기 힘들다. 뭔 일이 터졌나. 주차단속인가. 궁금해도 창밖은 볼 수 없다. 밖을 보면 안 된다. 보면 나가고 싶고 문밖을 나가면 오늘 작업은 끝장. 이틀 연속 공칠 수는 없지. 괜히 마음이 조급해져 손에 잡히는 대로 종이 묶음을 골라 읽는다.

〈맥킨리는 영국 석유 회사 BP와 전체 공정의 하이라이트를〉 이 줄이 아니다. 화장실 가기 전까지 씨름하던 대목은 뭐더라? 〈드릴비트를 다시 밖으로 빼는 거죠. 시추봉을 조금씩 조금씩 구멍으로부터 빼냅니다〉 넘기는 책장마다 연필 자국이 지저분하다. 이미 했던 것, 언젠가 건드렸던 문장, 익숙한 문장의 사잇길마다 지질학자들과 설전을 벌이는 장면……을 지나서 석유공법에 제재를 가하는 정치인과 설전을 벌이는…… 그다음, 채굴시설, 기기의 공법, 지질학의 장황한 가설들. 그렇다. 여기, 채굴과정을 설명하는 맥킨리의 장광설 밑에서 세 번째 줄. 이걸 해석하던 중이었다. 흔치 않은 표현들이 철문처럼 닫혀 있던, 무슨 핑계를 대서라도 달아나고 싶던 대목. 여든아홉에 심장병으로 사망한 도널드 맥킨리는 말이 많다. 지긋지긋한 달변가다. 동네 잔소리꾼 영감쟁이처럼 시시콜콜 물고 늘어지는 조잡한 성미. 이봐, 잘난 체 좀 그만해. 머리 아파 죽겠어.

한 번이라도 훑어본 묶음은 왼쪽, 나머지는 오른쪽. 왼쪽에 쌓아둔 묶음은 종잇장마다 날아갈 듯 낱장이 돌돌 말려 보기만 해도 너저분하다. 지저분한 원서는 번역자의 수치. 색색의 형광펜으로 도배해놓은 알파벳 대열은 네온사인이 현란한 밤거리 같다. 아르바이트 초기에 의료용 내시경이나 초음파 촬영기기 사용설명서를 번역할 때는 두 번 고민하지 않고 쭉쭉 나갔다. 장당 고료는 그편이 짭짤했는데 번역자 자리에 내 이름을 넣겠다고 자잘한 책자에 덤빈 뒤로 작업속도가 처참해졌다. 적어도 석달에 한 권을 목표로 세웠으나 달리기는커녕 엉금엉금

기어가는 수준으로 단어도, 문장도 아닌, 투박한 벽지 무늬를 찍어내고 있다.

남의 나라 언어는 탓하고 싶지 않다. 한글이 모질다. 잔혹하고 야비하고 자비심이라곤 한 톨도 없는 모국어 때문에 이 꼴이 아닌가. 시간당 원고매수를 계산하면 자전거를 타고 아우토반을 달리는 기분. 낙심천만. 그래도 어쩌랴. 이달 치 월세와 관리비와 공과금과 부식비와 통신요금이 꾸물거릴 시간이 없다며 내 궁둥이를 걷어찬다. 남은 분량을 서둘러 마무리 짓자고 마음을 다잡고 노트북 앞에 앉으면 아랫배의 거북한 느낌이 두뇌 기능에 침투한다.

가끔 맨 앞을 펼쳐 저자의 사진을 본다. 석유왕 도널드 맥킨리. 부스스한 백발에 짙게 그은 낯빛, 광대뼈가 툭 튀어나온 라틴계 할아범의 퀭한 얼굴은 왠지 잿더미 같다. 솟구치는 불기둥의 표지사진과는 대조되는 인상에 혹 불면 날아갈 잿더미의 이미지. 석유왕답게 야심만만하게 번들거리는 얼굴보다는 이런 타입이 좋다. 그의 얼굴이 마음에 들어 번역을 시작했다고 하면 아무도 안 믿겠지만. 맥킨리의 이 눈빛을 연륜이라고 하지 않나. 마틴 스콜세지의 마피아 영화를 보면 주로 이렇게 생긴 할아범들이 신중하게 사람을 잘 죽이더라.

찾았다. eruption amount… be under pressure… rapture… 〈채굴 중에라도 석유함유 모체광맥에 뛰어난 성능의 펌프를 성공적으로 설치한 다음 전동 로프로 움직이는 작은 구경의 펌프세트와 함께 나사로 조여진다. 특수기름이 떨어져 내리는 석유를 흡수하여 공중으로 휴거해〉 여기가 맞다. rapture. 꽁무니의 휴거라는 고루한 한자 표현이 마음에 걸린다. rapture에게 책임을 전가하며 자판 백스페이스를 탁탁 눌러 삭제.

번역문 셋째 줄 파커에 동그라미를 친다. Parker, 파커, 파커, 이게 무슨 파커인가. 공학전문 용어사전에도 없다. 계속 검색해도 그럴듯한 단어가 나오지 않는다. 미국 기계장비 제조회사 Parker Hannifin, 기계장비 회사 이름이 이 단어에서 유래되었나? 문맥상 석유 시추용 유압펌프인데 이것이 다이어프램펌프인지, 별개의 펌프인지 알수가 없다. 맥킨리가 활동하던 시대에만 사용했던 용어일까. 파커라고 한글로 적어놓고 다음 문단을 훑지만 때때로 등장하는 파커가 밑 빠진 구멍이다. 파커라는 구멍으로 인해 문장 조형미가 어긋나 일할 맛이 나지 않는다. 잘생긴 놈은 자꾸 거울을 보고 못난 놈은 거울 깨고 먼 산이나 보는 거다. 문장이 매끄러워 마음에 들면 더, 더 잘하려고 요리조리 침 발라 닦으며 윤을 내려 하는데 이처럼 시커먼 구멍이 숭숭 뚫려 있으면 그 주변의 문장마저 맥락을 잃고 뒹굴어버린다.

이것이 내 갈 길을 막는 구멍이고 함정이다. 오역을 방지하려 관련 서적을 뒤지고 전문가에게 부리나케 문자메시지를 보내도 해결되지 않은 몇몇 용어들이 부비트랩처럼 매복되어 있다. 1차 교정에서 전문가에게 문의해 해결할 거라 마음먹지만 결국엔 그냥 넘어가게 될 것이다. 파커 뿐만이 아니라 따로 놔둔 오역 예상 단락이 줄줄이 굴비 두름이다. 어쨌든 기름 한 방울 나지 않는 우리나라 만

세. 이 책의 독자는 없다. 없어야 정상이다. 맥킨리의 일대기가 중심이라 교재로 선정되기 힘들 것이다. 아무도 읽지 않을 책. 아름다운 헛고생의 진수, 쓸모없는 내용으로 쓸모를 주장하는 책. 문자가 아닌 벽지 무늬를 찍어내는 일. 효용 가치 없음을 주장하는 책이므로 이건 예술 분야에 들어가야 한다.

원두커피를 찾지 못해 아침에 내렸던 커피 찌꺼기에 물을 내렸다. 멀건 커피를 책상에 올려놓고 다시 맥킨리의 세상에 머리를 박는다. 문장과 문장의 모퉁이마다 내 우둔한 시간이 고여 있다. 다섯 줄 정도 자판으로 쳐내고 다리를 뻗어 책상에 올린다. 장황하게 떠들어대는 맥킨리의 독백은 여전하다. 미친 영감탱이. 큰따옴표 안에 들어가는 말은 광구사용료 계산법, 생산 유정을 구매하는 방법, 시추 지연 보상, 유정 임대관리, 측정 장비의 성능 분류. 챕터 별로 하나씩 격파하다 보면 석유를 뽑아내는 세밀한 과정과 관련 입법의 불합리성에 관한 대안을 짚고 넘어가는데 뒤로 갈수록 국가 간의 분쟁에 대한 맥킨리의 사념이 복잡해진다. 석유를 둘러싼 용어는 대체, 왜 이렇게 어렵고 복잡한 건가. 내가 상대하는 단어들이 가물가물 뭉개지고 점점이 흩어진다. 문장은 문장대로 저희끼리 주절거린다. 기계는 기계와의 격돌이고 지리와 지형에 관한 해설은 흙냄새로 쾨쾨하다. 석유가 터져 돈을 왕창 벌었다는 얘기는 대체 언제쯤 나올 거냐. 제발 사람이 하나라도 등장하기를.

허리 업. Hurry up.

가라앉은 음성이 들린다. 창가에 누군가가 앉아 있다. 흐릿한 실루엣은 챙이 빳빳한 카우보이모자, 길고 마른 얼굴. 서랍 여는 소리가 들린다. 내 방에서 뭘 찾는 걸까. 목소리가 속삭인다.

허리 업. 맨. Hurry up. man.

단호한 목소리. 가물가물한 의식 안으로 초침 소리가 울린다. 착착착착착착. 규칙적인 소리가 빗줄기처럼 내게 떨어진다. 빠르게 움직이는 시계추가 보인다. 초침 소리는 개처럼 내 얼굴을 핥아댄다. 아주 크고 가까운 소리. 누군가의 숨소리 같다. 착착착착착……. 여기는 벌판이다! 허허벌판. 또 시작인가?

따가운 볕이 오후의 한낮을 도끼로 쪼개듯 내리쬔다. 뛴다. 뛰어야 한다. 바짓단에 젖은 풀이 축축하게 감긴다. 잡초더미가 가르마처럼 갈라지자 진흙탕이다. 바닥이 물컹물컹 신발 밑창에 진흙이 더께로 붙어 걸음이 무겁다. 발이 쑥쑥 빠진다.

서둘러!

어서 빨리!

낮게 울리는 목소리. 천상에서 울리는 소리. 키보다 웃자란 억새의 숲. 마구 덤벼드는 억새를 손으로 헤치고 앞으로, 앞으로 나아간다. 저기 멀리서 흙먼지가 뿌옇게 일어난다. 부아아앙 자동차 엔진 소리. 저쪽 언덕의 억새가 일제히 픽픽 쓰러진다. 보인다. 회색 지프가 먼지를 일으키며 달려오고 있다. 울퉁불퉁한 길이라 차체가 형편없이 흔들린다. 운전석의 카우보이모자가 내게 손짓한다.

미스터 맥킨리? 이 영감탱이 또 왔네. 오늘도 구덩이에 나를 묻을 것인가. 성가신 날벌레가 땀에 젖은 내 얼굴에 따갑게 닿았다가 사라진다. 웃자란 억새가 뺨을 찌르고 물컹거리는 질땅은 살아 있는 생물처럼 내 발바닥 밑에서 꾸물거린다. 지프가 내 앞에 멈춰 섰다.

오르거라, 어서!

굵고 기름진 음성. 운전석의 맥킨리는 조수석을 턱짓으로 가리켰다. 차체는 흙 튀긴 자국으로 엉망이고 문짝의 손잡이도 시커먼 기름이 얼룩져 만지기조차 싫다. 진흙이 묻은 신발 그대로 차에 오를 수 없어 잡초에 대고 대충 문질러 닦는다. 지도를 펼쳐 보던 맥킨리는 내가 차에 올라타자마자 그대로 후진한다. 부랴부랴 안전벨트를 채우는 동안 그는 무심한 얼굴로 서류봉투를 툭 던진다. 봉투를 벌리자 커다랗게 인화된 흑백사진이 들었다.

보아라. 보고 기억하라. 현상금이 걸린 살인자니라.

사진 속 여자는 어머니를 닮았다. 눈썹 옆의 자그마한 사마귀까지 닮았다. 넉 장의 사진은 각기 다른 장소 다른 시간에 찍힌 것이다. 사진을 넘겨 하나씩 확인하며 고개를 끄덕인다. 두건을 쓴 어머니가 까맣게 탄 얼굴로 인상을 찌푸리고 있다. 어깨에 걸고 있는 장총이라니. 설정 사진을 찍은 것처럼 어머니와 어울리지 않는다. 그럴 리가 없다. 자동차는 출렁거리며 억새밭을 빠져나간다. 붉은 흙이 스산하게 펼쳐진 평야를 쏜살같이 달린다. 흙바람이 얼굴에 쏟아져 몸을 옹송그려도 눈이 따갑고 숨을 쉴 수 없다.

어머니는 지금 기도원에 있어요.

이 늙은 여인이 거하는 곳으로 나를 인도하라.

논산이요. 어머니는 거기서 더덕 농사를 지어요. 작년 아버지 기일에 만났었는데 전보다 건강해 보였어요.

늙은 여인이 나를 쐈노라. 여기 보라. 죄 없는 자를 사망의 골짜기로 인도하여 자신의 죄를 키우고 있으니 이를 어찌하리까.

맥킨리가 손바닥으로 가리킨 오른쪽 귀는 불에 덴 듯 오그라져 있다. 뭉그러진 새조개 살점처럼 보였다. 흉터는 뒤통수까지 길게 파여 있다. 맥킨리 씨는 뒷좌석에 놓인 장총을 가리키며 자신이 운전하는 동안 엄호하라고 한다. 어머니를 죽이라는 건가. 다시 사진을 들여다본다. 눈썹 옆의 사마귀와 익숙한 목주름이 다시 눈에 들어왔다. 어머니는 대체 몇이나 천국으로 보낸 걸까. 라이플총을 움켜쥐고 지금 어디로 가느냐고 맥킨리에게 물었다.

이 평야에 허락된 은총을 먼저 생각해야 하느니, 사람이 구름떼처럼 몰려오고 수익 다툼으로 인해 사망에 이르는 자가 수 백이라.

저는 석유가 나오는 광경을 보고 싶어요. 맥킨리 씨, 제게도 기회를 주십시오.

너는 아니 되느니.

석유가 펑펑 솟구치고 달러가 그득그득 쌓이는 장면이요.

너는 아니 되느니, 결코 개입할 수 없노라. 내가 이르노니 이곳은 나의 세상이고 너는 방점 하나 멋대로 바꾸면 안 되느니라. 축약하지 마라. 축약은 못써. 함부로 문장을 건너뛰면 멸망에 이르게 되리니!

내 멋대로 문장을 뺀 적 없다고 따지려다 입을 다문다. 켕기지 않을 수 없다. 맥킨리의 문장이 없으면 나는 없다. 나 같은 건 없어봤자 아무 상관이 없는 이 세계, 막막하게 넓은 이 세계의 벌판이 나더러 입 다물고 순종하라고 눈치를 준다. 맥킨리가 속도를 올리자 지프가 쿨렁쿨렁 춤춘다. 차체가 커브를 틀자 앞으로 쏠렸다가 모로 쓰러진다. 턱뼈가 욱신거려도 총을 놓치지 않으려 가슴팍에 바싹 안는다. 맥킨리 씨는 국도의 위험성을 말한다. 암살자가 매복해 있을 산 중턱 도로를 피해 평평한 벌판만이 느닷없는 저격을 피한다는 것. 사방 좌우로 늘어선 잡초들이 벽지 무늬처럼 일정하다. 벽지 무늬의 구속감이 돌연 나를 옥죈다. 아직 남아 있는 페이지들. 시커먼 구멍이 숭숭.

맥킨리 씨, 파커가 뭔가요?

파커?

피에이알케이이알, 파커요.

파커 가로되 파커이니라. 파커를 지니고 있는 한 멈출 수 없느니. 죄를 사함 받고 싶으면 먼저 용서해야 하느니라.

누구를 용서해요? 그게 무슨 뜻이죠? 저는 번역해야 합니다.

늙은 여인이 나타나 가로되, 시추공은 소중하고 안으로 깊이 들어갈수록 가능성이 높아지니이다. 우리는 파커를 밖에서만 조정하는 게 아니라 안쪽 깊숙이, 지옥의 핵심으로 들여보내고 있으니 이를 어찌 하리이까? 가로되 내가 판단하느니. 이는 위험 요소에 대한 예측, 따라서 재정 부담과 기계적인 효율성 두 갈래 안에서 줄기를 쭉쭉 뻗어 나가니라. 환경침해에 따른 소송도 어찌 무시하랴. 운명이라는 그림 안에서 각자 역사하라. 바다의 물고기라도 정해진 운명으로 거칠 것이 없노라. 무엇이 두려우리까. 이는 자연의 노래라.

그러니까 맥킨리 씨, 파커가 뭔가요? 맥락상 유압식 펌프라고 봐도 될까요. 그게 통칭인가요? 저는 번역해야 합니다. 공학 사전 유사서적 샅샅이 살폈는데 안 나와요. 원고를 끝내야 돈을 받을 수 있고 저는 빚이 많습니다.

　가여운 어린 양아. 너의 파커는 아무리 깊숙한 것도 끝내 찾아내느니. 너의 죄가 기어이 형상을 빚었구나.

　나는 그의 말에 연두색 형광펜으로 밑줄을 긋는다. 없애도 괜찮다는 표식의 연두색, 연두색의 사형선고. 집행은 나중에. 문장을 죽여야 내가 산다. 해결되지 않는 것들은 시간을 잡아먹고 올바른 해석을 찾느라 작업이 무한정 늘어지면 내가 죽는다. 그래서 건너뛰었다. 쭉쭉 지워 삭제한다. 나를 안심시키는 backspace. 통째로 날리는 ctr+Y. 내 인생도 그랬으면 좋겠다. 내가 저지른 실수와 오욕과 그 모든 기억과 파멸의 잔상과 후회를 말끔히 지우면 얼마나 좋을까.

　지하 터널을 지나 비포장도로로 들어서자 대형트럭들이 흙바람을 일으키며 줄줄이 지나간다. 쿨렁거리는 지프에 휘둘리다 보니 아랫배에서도 작은 회오리가 일어난다. 누런색 평야는 끝이 없다. 언젠가 봤고 어쩌면 알 것 같은 너른 벌판, 흙바람에서 가솔린 냄새가 매캐하다. 거

센 바람에 콧구멍으로 흙먼지가 들어온다. 무릎에 올려 둔 어머니의 사진이 바람에 펄럭펄럭 휘날린다. 화난 듯 찌푸린 어머니의 표정을 나도 따라 짓는다. 어머니가 만 든 고등어찜과 얼큰한 뭇국은 일품이다. 어머니는 평생 아버지의 뜻을 지지하고 신뢰하는 조용한 내조자였다. 사고뭉치는 아버지가 한 수 위다. 아버지는 하늘을 뚫으 려 했다. 스카이 시추공이랄까.

생각해보면 누구의 잘못이라고 콕 집을 수가 없다. 우 리 모두 특별해지는 것에 취해 적당히 신실했고 약간은 우쭐해 있었다. 특히 아버지는 단 한 방을 좋아했다. 남 루한 일상과 작별하고 천상으로 순간이동. 지구의 유효 기간은 끝났고, 천상으로 들어 올려져 재림예수를 맞이 할 자는 창세기 이전에 이미 명단에 들어가 있다는 선교 원의 선언에 우리는 뛸 듯이 기뻤다. 은사의 힘은 대단했 다. 아버지는 금식 기도 중에 환상을 보며 곧잘 혼절하곤 했다. 방언이 터지면 밤새 턱을 떨며 성령의 말씀을 전했 다. 천국에 호화로운 집이 마련되어 있으니 낡아빠진 단

독주택 따위 교단에 바치고 우리는 새로 시작하자고 했다. 그렇게 아버지는 전 재산을 바치고 휴거의 그날만 기다렸다.

우리 가족 중 제일 먼저 선교원에 간 사람이 나였다. 공짜 영어 교습받으러 가자고 아랫집 중학생 형이 나를 어린이 성경학교에 데리고 갔다. 선교원 건물은 작아도 주일마다 설교를 들으러 전국에서 몰려온 신도가 수천이었다. 복도와 계단에 쪼그리고 앉아 예배를 드리면서도 성전 안에 들어간 것만으로 은혜 받음의 징표로 여겼다. 미국 유학파인 목사님의 지성은 특별한 구석이 있었다. 신도들은 미국에서 안수를 받았다고 다 같은 목사가 아니라고 했다. 우리 목사님만이 성경책 전부를 영어로 암송하거나 히브리어를 해석할 수 있었다. 진정으로 기름 부어진 자, 제사장다운 성실함이었다.

기도실마다 영어로 성경을 공부하는 학생과 신도들로 빈자리가 없었다. 기적은 저절로 주어지는 게 아니라 늘 기도하고 공부해야 하는 것, 그것이 우리 선교원의 자부

심이었다. 내가 영어 성경 암송대회에 나가 은십자가 상을 받은 날, 어머니와 아버지는 나란히 집사가 되었다. 부목사님은 특별히 나를 귀애하며 늘 안아주고 어르며 영어단어와 성경 말씀을 제대로 외우고 있는지 확인했다. 그의 품에서 나는 아무 아이가 아니었다. 고귀하고 명민한 하나님의 자녀였다. 내가 어쩌다 정답을 맞히면 부목사는 활짝 웃으며 내 귓불을 살짝 깨물었다. 그런 은밀함은 난생처음이었다. 그 간지러운 사랑을 떠올리며 나는 틈만 나면 성경 말씀을 영어로 암송했다. 다른 아이들에게 그의 사랑을 나눠 가지기 싫고 빼앗기기도 싫었다.

당시 나의 영혼에 새겨넣은 단어는 rapture 휴거였다. 데살로니카 전서의 한 구절은 우리 삶의 이정표가 되었다. "그리스도 안에서 죽은 자들이 먼저 일어나고 그 후에 우리 살아남은 자들도 그들과 함께 구름 속으로 끌어올려 공중에서 주를 영접하게 하시리니." 생각만 해도 가슴이 떨렸다. 그리스도 내 하나님이 우리를 하늘로 들어올려준다고 했다. 지구는 이미 끝났다. 끔찍한 전쟁과 학

살, 고문, 강간, 살인, 피비린내, 피의 강물, 전염병 따위가 그 증거였다.

간절히 원하고 구하면 끝내 손에 쥔다더니 우리 눈앞에서 계시가 떨어지기 시작했다. 버스정류장에 서서 문득 올려다본 하늘이 평소와 달랐다. 성령은 내게 선택받은 이들이 하늘로 오르는 장면을 구름 모양으로 보여줬다. 어머니는 부엌에서 된장찌개를 끓이던 중 천사의 나팔소리를 들었다. 아버지는 매일매일 뜻하지 않은 장소에서 성령과 조우했다. 휴거 붐이 일자 사방에서 기적이 속출했다. 하늘에서 천사들이 나팔을 불며 내려오는 장면이 볼티모어에 사는 미국인의 허블망원경에 포착되었다. 선교원에서는 그 사진을 크게 인화해 대예배실 본당에 붙여놓았다. 휴거를 준비하는 교회가 전국에서 우후죽순 늘어가는 가운데 휴거를 기대하며 미리 음독자살한 신도들 소식이 뉴스에 등장했다. 수사가 시작되었다. 목사님이 검찰에 출두해 조사받는 동안 아버지와 신도들은 선교원으로 침투해온 방송기자단과 몸싸움을 벌였다.

휴거의 그날, 선교원 앞은 북새통이었다. 취재를 나온 사람들이 들이댄 카메라가 번쩍거렸고 가족을 찾으러 온 자들로 사방이 북적북적 정신이 없었다. 우리는 미리 준비한 하얀 옷으로 차려입었다. 일본과 미국, 호주 등지에서 신도들이 찾아왔고 지방에서 올라온 사람들로 선교원은 며칠 전부터 발 디딜 틈이 없었다. 사방의 적들이 우리를 시험하고 흔들었어도 의심 없이, 중단 없이, 망설임 없이 그 자리를 지킨 신도가 오천 이상이었다. 천국을 향한 가시밭길, 시련은 얼마나 많았던가.

경찰은 우리의 사역자가 휴거 다음 해에 만기 되는 환매조건부 채권을 구매했다고 발표했다. 목사님을 사기꾼으로 매도한 것이다. 목사님이 저녁 뉴스에 등장해 휴거가 일어나지 않아도 극단적인 행동은 자제하고 차분하게 일상으로 돌아가라는 편지를 발표했다. 우리는 그 또한 일종의 전략이라고 받아들였다. 머지않은 미래에 가장 신뢰하는 인물이 충격적인 행동을 할 거라는 예언을 들었기 때문이다. 그 정도 시험도 없이 천국에 오르려 하느냐, 장차 그 어떤 일이 벌어져도 절대로 흔들리지 말라고 목사님이 우리를 예비시켰기 때문이었다. 목사님을 사기꾼으로 옭아맨 검찰 일당이 그리스도를 박해한 로마군과 다를 바 없었다.

휴거를 기다리는 마지막 예배로 선교원 대예배실 본당은 기도와 찬송 소리로 뜨거웠다. 이제 하늘길이 뻥 뚫리면 우리는 휴거되어 공중으로 들어 올려질 것이다. 카운트다운이 시작되었다. 곧 천사의 나팔소리가 하늘에서 울려 퍼질 것이다! 알 수 없는 조짐에 모두 흥분했다. 술렁술렁. 심장박동 소리가 몸을 뚫고 튀어나오니 그것은 아무래도 천사의 나팔소리. 소리가 터진다, 터진다, 터진다, 터진다, 터지려 한다. 터지고 있다. 터지려는 바로 지금, 지금, 지금! 신실한 아버지는 행복한 얼굴로 감격의 눈물을 흘리며 기도하고 찬송하며 하늘로 오르기를 간청했다. 건물 불빛에 나방이 모여들자 신도들은 징표가 서서히 드러난다고 했다. 자정이 되어도 아무 변화가 없자 어떤 이가 이스라엘 시간으로 아직 자정이 되지 않았다고 외쳤다. 아버지는 몇 번이고 까무러쳐가며 목청껏 통성기도를 하다 목이 쉬어버렸다.

철야 예배를 넘겨 다음 날 오전부터 신도들이 하나둘 선교원을 떠났다. 아무도 울지 않았고 아무도 웃지 않았다. 우리 가족은 오후까지 머물다 밖으로 나섰다. 선교원 앞에 가족을 찾으러 나온 사람들이 모여 있었다. 내 등 뒤에서 키득거리는 목소리는 하나도 놓치지 않고 들었다. 휴거 해프닝은 모두의 조롱거리가 되었다. 뉴스에 등장한 내 모습을 같은 반 친구들이 봤다고 했다. 집을 처분해 선교원에 바쳤기에 우리는 돌아갈 곳이 없었다. 우리 럭키는 지금쯤 어디에 있을까. 뜻하지 않게 일이 어그러졌으니 럭키를 돌려받고 싶었다. 기도원에 들어가자마자 바로 곯아떨어졌다. 너무 피로해 당장 천국의 문이 열린다 해도 날아갈 기력이 없었다.

아버지는 포기하지 않고 선교원을 지켰다. 어머니도 포기하지 않는다고 말했다. 말려도 소용이 없었다.

"아들아, 네가 그랬잖아. 네 몸에는 십자가가 박혀 있다고. 어린 네가 그렇게 어마어마한 말을 했더랬다."

우리 가족은 기도원과 선교원 사택과 지하 월세방을 전전했다. 하늘나라에 금은보화를 쌓아두고 있기에 지상의 빈곤함은 일종의 게임 미션처럼 느껴졌다. 학교생활은 지루해도 친구들 덕에 즐거웠다. 때때로 럭키 생각에 괴로웠다. 내가 묻어준 녀석. 우리를 기다리고 있을 녀석을 생각하면 지상에 정을 떼고 어서 가고 싶었다. 답답한 마음에 하늘을 올려다보면 조금의 틈도 보이지 않아 두렵고 무서웠다. 대체 우리가 무슨 죄를 지었기에 저 천국의 문이 닫혀버린 건가.

"그날 청산가리라도 먹었어야 해. 다 같이 주의 품에 갔더라면 이런 고생 안 하잖아."

저녁 밥상 앞에서 어머니가 나직하게 말했다. 평소처럼 잔잔한 말투였다. 어머니가 말하는 그날이란, 낙담한 신도들과 다 함께 우르르 교단에서 빠져나오던 수치스러웠던 그날 밤이다. 알면서도, 이미 알아차렸으면서 나는 가끔 투정을 부렸다. 왜 휴거 되지 못한 거냐고, 아무도 들려지지 않은 걸 보니 철저히 농락당한 거라고. 우리 집을 찾을 방법이 없느냐고 물었다. 그때 어머니가 청산가리를 언급했다. 아버지는 천천히 밥을 씹으며 아무 말 하지 않았다. 동의하지도 반박하지도 않는 아버지의 태도는 식은 국처럼 평온했다.

"그게 어떻게 같아요? 그건 죽는 거고, 우리가 바란 건."

"같지는 않아도 다르지도 않느니. 난 네가 걱정이란다. 주의 종인 네가 새벽예배를 게을리하니 말이다. 너의 죄로 말미암아 우리의 죄가 깊어지리니. 주께서 그것을 염려하시니이다. 주여, 용서하소서."

우리는 희망을 잃은 대신 점점 공평해졌다. 온 가족이 함께 오점을 얻었기에 내가 간직한 오점은 그 안에 밀어넣고 다 같이 공평해졌다 생각했다. 아버지는 내게 신학대학을 강권했으나 나는 정보처리학과를 선택했다. 무엇을 해도 사랑만 주는 하나님이 나의 편인데 무엇을 걱정하리. 세상이 전부 내 것이고 원하는 건 다 얻을 것이다. 부목사에게서 정기적인 지원금을 받고 있으므로 교회가 내 것이라는 착각에 빠져 있었다.

그자와 내가 만든 질척한 비밀은 은밀한 중독성이 있었다. 그것은 좌절 속에 갇혀 있던 내가 선택한 유니크한 알바였다. 썩은 돼지고기 냄새가 나던 낡아빠진 매트리스에 엎드려 있으면 천상으로 날아오르기는커녕 영원히 지상에 말뚝 박히는 기분이었다. 알바로는 해결할 수 없는 많은 빚을 스스로 탕감하던 쾌감, 지하 밑바닥으로 곤두박질쳐지는 짜릿함이라니.

슈가 대디가 다른 곳으로 부임해간 뒤에도 만남은 계속되었다. 그가 내게 선사한 잔상은 더 오래 계속되었다. 붉은 쇳물이 피처럼 흐르던 철공소의 환풍구 돌아가던 소리, 늘어진 콘돔에 묻은 혈변, 근육이 부딪치던 소리. 싸구려 스킨로션과 비슷한 냄새가 나던 호박색 양주의 맛. 그가 나직하게 읊조리던 노랫소리. 찬송가가 아니어서 우리끼리만 은밀하게 부르던 유행가의 슬픈 곡조. 그의 사택에 놀러 가면 사모와 딸들이 나를 보며 몹시 수줍어했더랬다. 그래서 나는 도로 우쭐해했다. 마치 휴거를 기대하던 때처럼.

유정탑의 거대한 도르래는 검은 기름에 푹 젖었다. 석유 때문이 아니라 기름을 먹어야 유연해지기 때문이다. 디젤 엔진에 연결된 시추 파이프는 끊임없이 들들거리고 물은 사방으로 흘러넘친다. 끔찍한 소음이 사람들의 목소리를 잡아먹었다. 엄청난 소음에 골이 띵하다. 우람한 두께의 케이블이 구멍 안으로 꾸역꾸역 들어간다. 저것이 센서가 든 검증 장비다. 저만치 떨어져 있는 차량에서는 암석 파편의 외관, 원유 흔적의 자외선 검사를 하느라 수선스럽다. 펌프는 땅속 깊이 파고들고 시추공에서 뽑아낸 진흙과 돌이 수압에 들려 쿨럭쿨럭 쏟아진다.

맥킨리 씨의 손가락이 까딱 움직인다. 그의 손가락에 든 가능성이 내게 속삭인다. 구멍이다. 구멍이 너를 기다리고 있다. 황금색 털이 숭숭 난 손가락 마디에는 덴 자국이 울긋불긋하다. 두꺼운 손톱엔 시커먼 기름이 잔뜩 끼어 번들거린다. 그 손가락이 가리키는 곳은 전부 구멍이다. 구멍의 가능성을 찾아 헤맸던 손가락이다.

쿵!

소리가 나는 방향으로 몸을 돌린다.

구멍이다. 순결한 구멍. 맥킨리 씨가 스물두 살에 처음 덤벼들었던 구멍. 그는 토끼 굴 앞에서 토끼가 튀어나오기를 기다리는 소년처럼 대륙의 이곳저곳을 뚫었다. 평생 뻥 뚫어진 구멍을 연구했다. 구멍은 그에게 검게 펼쳐진 천국. 시커먼 황금은 티라노사우루스, 한 떼의 코뿔소 무리의 주검, 땅속에서 겹겹이 쌓인 찌꺼기는 이제, 지구를 장악한 것에게 활동이라는 은총을 선사했으므로…… 아스팔트 위를 달린다, 트럭과 오토바이, 지프와 비행기, 탱크, 활달하고 매끄러운 플라스틱, 저기 저 우주선은 꽁무니에 불을 달고 난다.

맥킨리 씨가 진흙더미에서 골라낸 작은 돌조각을 주워 채취용 상자에 던져 넣는다. 시추진흙을 손바닥에 올려 점도를 살피다가 냄새를 맡는다. 진흙을 입에도 넣기도 한다. 그의 고민이 무엇인지 나는 알고 있다. 이 구멍 안

36

에 그것이 들었나. 과연 들어 있기는 한가? 엄청난 깊이의 생산용 케이싱을 설치하려면 판단을 잘해야 한다.

시간이 없다. 서둘러야 한다. 페이지가 급속하게 넘어간다. 그의 내면을 읽을 겨를도 없이 맥킨리 씨의 생애가 급히 흘러간다. 빠르다. 너무 빨라. 바로 앞에서 보이는 상황은 빨라지다가 돌연 느릿느릿 흩어진다. 이렇게 보면 일상의 속도란 아주 다른 얼굴을 갖고 있다. 빨리 돌려놓고 보면 다 별것 아니다. 꼭두각시처럼 달려가고, 달려오고 날이 밝았다가 어두워졌다가, 왔다 갔다, 왔다 갔다……. 장면이 느려지면 하찮은 사물일지라도 생각이 많아 보인다. 느낌이 많아진다고 할까. 내가 모르는 것이 뭔지 생각한다. 마치 모든 것을 알고 있는 것 같은 지금 이 기분이 불길하다. 생각은 근원적인 통각이라 황량한 벌판조차 내 안에 들어오면 간단한 서글픔이 된다.

맥킨리 씨, 맥킨리 씨, 파커가 뭔가요?

파커?

그래요, 파커!

맥킨리는 성가시다는 듯 시추플랫폼으로 성큼성큼 걸어간다. 투박한 장화 밑으로 찌걱거리는 소리가 새어 나온다. 그는 물받이 통에 고인 물을 내버리며 내게 와보라고 손짓했다. 단지 손짓만이었다. 맥킨리 씨는 시추공을 덮은 파란색 방수포부터 걷어낸다. 방수포에 고였던 물이 콘크리트 바닥으로 주르륵 쏟아진다. 언제라도 굴착을 다시 시작할 수 있도록 야무지게 감싸둔 것이다. 지름 1미터가량의 거대한 구멍이 입을 쩍 벌리고 있다. 맥킨리 씨가 내게 물었다.

이 속에 들어가거라.

들어갈 방법이 있습니까?

구멍이 원수처럼 너를 쫓고 있노라.

쪼그려 앉아 구멍에 다가가자 싸한 흙냄새가 뿜어져 나온다. 시커먼 속에서 뭐라도 튀어나올 것 같다. 이 안에 많은 사람이 들었다. 인간은 인생이란 덫에 걸렸다. 구멍 하나에 한 사람씩. 사람은 서로 먼저 나오려고 손을 뻗는다. 어서 나와. 어서 나오라고. 그런데 날더러 들어가라고? 원수같은 구멍이다. 맥킨리 씨는 카우보이모자를 벗고 이마의 땀을 훔친다. 주름진 이마에 은색의 구불구불한 머리카락이 바람에 나부낀다. 다부진 체구를 감싼 가죽조끼는 주름골마다 검은 기름 자국이 번들거린다. 거친 들에서 야생하느라 암석처럼 단단해진 그의 면모가 바람결에 마구 흔들리는 억새 사이에 우뚝 서 있다.

작업반이 곧 도착하리니, 가여운 양이여. 너는 나를 목자로 삼지 말고 너의 들판으로 나가거라.

맥킨리 씨는 자그마한 기계를 꺼내 뇌관이 폭파를 일으키는 시간, 암반 1미터를 깨부수는 데 필요한 폭약의 양을 계산했다. 시간이 꽤 오래 걸렸다. 황량한 벌판은 가끔씩 쿵 소리를 내며 미약한 진동을 전했다. 시추공은 지하 500m 이상의 깊이, 중간에 폭발물을 밀어 넣는다. 계획은 그렇다. 맥킨리 씨의 신성한 굴착작업을 지켜보고 싶다. 가장 궁금한 것은 하늘로 솟구쳐 오르는 시커먼 연기다. 꾸물꾸물 피어오르는 검은 연기.

여기서 석유가 나옵니까?

주의 은총이 미치지 않는 곳이 없나니. 지금까지 발굴하지 못한 건 너무 깊이 있거나 굴착면의 각도가 틀어졌거나, 해수면에 위치하거나. 지질학적으로 미심쩍어도 불가능은 반드시, 언제나 더 큰 가능성을 품고 있노라. 이건 명백히 그리스도 내 주님의 뜻이고 그의 영역, 누구나 더 깊이 오래 파면 얻게 되리니. 파는 과정이 곧 인생이고 파다 죽는 게 우리에게 떨어진 유일한 축복이노라.

맥킨리 씨, 식사는 하고 다니세요? 안색이 누르스름합니다.

주께서 내게 잠을 허락하지 않으신다. 꿈을 꾸느라 잠을 통 못 자니 이를 어찌하리까. 자고 싶어서 서성거리느라 꿈은 암흑이오, 석유가 부르는 노래에 홀려 잠을 설치나니.

맥킨리 씨의 꿈속에 내가 있다. 그의 안쪽 깊숙이 커다란 구멍에 내가 살고 있다. 그가 꿈을 꾸는 동안 구멍은 안락하게 넓어지고 외곽선은 점점 뚜렷해진다. 불길한 전조에 알맞게 하늘은 흐리고 사방이 소란스럽다. 부풀어 오르는 밀가루 반죽처럼 회색 구름이 꾸물꾸물 움직여 거대해진다. 어머니는 내 꿈을 자주 꾼다고 했다. 내가 음지에 낀 이끼처럼 어둠 속에 홀로 반듯하게 누워 있는 꿈이라고 했다. 때로 물에 든 것처럼, 무중력 진공관에 든 것처럼 차렷 자세로 둥둥 떠다니는 내가 꿈에 나타난다면서 손날을 꼿꼿이 세워가며 내 모습을 설명했다. 내가 부유물이 되었다는 뜻이다. 어디에도 속하지 못한 상태로, 액체도 고체도 아닌 그저 가볍게 유영하는 부유물로 살아가고 있는 현재의 나를 정확하게 본 것이다. 어머니의 기도하는 모습은 아름답다. 내가 알고 있는 어머니는 언제나 기도 중이다. 산중 기도원의 아침은 어슴푸레한 잉크 빛깔이다. 어머니는 시퍼런 새벽에 일어나 회색 머리카락을 정성껏 빗은 다음, 빨간 방석에 무릎 꿇고 앉아 눈을 감는다. 가끔 어머니는 교단에서 제공한 관광버스를 타고 서울로 올라온다. 서울에 오면 어머니는 내게 전화한다. 일정이 빠듯하므로 단지 통화만 한다. 어머니는 한반도의 공산화를 막아주는 미국에게 주권을 넘겨줘야 하며 동성애 차별금지법을 철폐하라는 울긋불긋한 피켓을 들고 광화문을 활보한다. 시위와 예배는 동시에 이루어진다. 그날의 일당을 당연하게 헌금해버린 어머니는 그 모든 과정을 뿌듯해했다.

나는 달린다. 얻기 위해서가 아니고 떠밀려서 달린다. 미로처럼 복잡하게 이어진 미색의 복도를 따라 달리고 달린다. 미색의 환한 복도에서 복도로, 복도의 끝에서 다시 복도로 나는 달린다. 바닥에 깔린 회색 카펫은 푹신하고 어디에선가 신경을 긁는 소리가 들렸다. 이 좁은 통로는 문장과 문장 사이의 공간처럼 기다랗게 비어있는 직선이다.

어바웃 텐 미닛. 시간이 없다. 커브를 틀며 벽을 손으로 짚었다. 왼쪽으로 들어가자 다시 복도. 이번에는 꽤나 널찍하다. 그래서 달렸다. 달린다. 달릴 수밖에 없다. 나는 달리는 자다. 10분 안에 이 건물을 빠져나간다. 어디로 가야 하나. 동기와 원인과 의미와 결론의 통로들. 이 건물 지하에는 안전한 벙커가 있을까. 양쪽으로 갈라진 복도가 나오자 고민이 된다. 이것이 탈출구인가. 동그란 손잡이를 돌리자 가볍게 문이 열린다.

좁은 방에 모여 앉은 사람들은 기도 중이다. 모두들 머리를 숙이고 눈을 감고 있다. 중얼거리는 목소리는 나직하고 고요하다. 내게는 익숙한 장소다. 휴거되기를 기다리던 그날 밤도 이랬다. 비슷하다. 방 전체를 가로지르는 빨랫줄에 수건과 옷가지가 주렁주렁 널려 있어 한데 모인 사람들의 얼굴이 보이지 않는다. 이어지는 찬송가 합창은 아름답고 구슬프다. 안으로 들어갈수록 사람이 많다. 어머니는 어디에 있을까. 사람들 사이로 쑤시고 들어간다. 선창하는 사내의 목소리는 굵은 바리톤에 발음이 정확하다.

어바웃 텐 미닛, 시간이 얼마나 남았는지 모르겠다. 이 방 저 방 기웃기웃 어머니를 찾는다. 열린 방마다 사람이 그득그득. 엎드려 기도하는 파마머리 아줌마, 기진맥진 널브러져 있는 노파, 벽에 기대앉아 수다떠는 여성들. 아니다. 아니다. 다들 내 어머니가 아니다. 조바심, 공포, 외로움과 영혼의 굶주림. 이들은 알고 있을까. 자신이 지닌 공허가 이곳으로 불러들였음을. 인간은 인생이라는 덫에 걸린 먹잇감, 빈 구멍이 존재하는 한, 영원히 밑 빠진 독이다. 구원의 길이 아닌 멸망의 길이 여기 있다.

단지 명예로운 선택이 남았다. 각자에게 부여된 의무, 생을 찾아가는 과정의 인식들. 실핏줄처럼 이어진 관계의 구도, 생식 활동과 생명 유지의 책임감과 결별하고 멸종을 향해 숭고하게 걸어 들어가야 한다. 자연의 불공정한 대우에서 벗어나려면 달리 방법이 없다. 원치 않았는데 생명으로 던져져 이런 고통으로 살아가느니 스스로 멸망을 택해야 한다. 두려운가? 두렵다. 아니, 아니, 모르겠다. 두렵지 않다. 이미 겪어본 일이라 더는 두렵지 않다.

방 안쪽에 갈색 미닫이문이 반쯤 열려 있다. 벽장인가? 안을 기웃거리는데 문이 절로 닫히려 한다. 안으로 들어가자 승강기가 가동된다. 우웅 전자음 소리를 들으며 천천히 밑으로 내려간다. 속절없이 밑으로, 밑으로. 문 옆의 작은 버튼들은 숫자 대신 닫힘, 열림 표시뿐이다. 속도가 서서히 완만해지고 승강기가 멈춰 선다. 땡 소리와 함께 문이 스르르 열린다. 말끔하고 환한 건물 안. 승강기 밖은 사람들로 북적이는 병원이다.

하얀 가운을 입은 의사와 간호사들이 하얀 형광 불빛 아래 서성인다. 병원 특유의 크레졸 냄새가 싸하게 밀려오는 이질적인 공간. 나가야 하나, 멈춰야 하나, 그대로 여기 남아야 하나, 판단이 서질 않는다. 차라리 달리는 것이 쉽다. 나가서 달리면, 몸을 움직이면 상황이 나아질 거라는 기대가 든다. 그편이 낫지 않은가. 아니 알 수 없다. 이 세계는 언제나 모호하다. 미래를 모르는 것만큼 현재의 시간과 방향과 선택의 범위를 알 수 없다. 어디선가 안락사해야 한다면, 이라는 음성이 들린다. 안락사? 누구를?

십 분 남았어요. 서둘러야 해요.

잠깐만요, 맥킨리 씨는 어디 있어요?

환자분, 배변 문제부터 해결하세요. 원래 문제가 있죠?

수술복 차림의 남자가 말한다. 나의 무력한 장에 대해 알고 있는 사내의 물음에 대뜸 고개를 끄덕였다. 나는 나를 잘 안다. 침대에 누운 환자 아이와 눈이 마주쳤다. 퀭한 눈이 핏기없는 피부 안에 단추처럼 박혀 있다.

저를 파커하실 건가요?

파커? 파커가 뭔가요? 환자분, 배변 문제는 당신 슬픔의 핵심입니다.

제발 파커하지 말아요. 저는 살고 싶어요. 구덩이에 들어가기 싫어요.

의사는 빡빡한 고무장갑을 하나씩 꼈다. 피부처럼 밀착된 고무질의 팽팽함. 그의 두툼한 손가락은 스타킹을 뒤집어쓴 범죄자의 뭉개진 얼굴이나 콘돔을 쓴 성기처럼 보였다. 침대에 몸을 붙이고 바지를 내리면 간단한 일이다. 처음이 아니다. 파열된 항문을 수술한 적이 있고 성인이 된 뒤로는, 그렇다. 작년 가을에도 진료받고 약과 연고를 처방받았다.

궁둥이가 뻥 뚫린 환자용 가운이 꽤나 우습다. 맨몸에

가운만 걸치고 침대에 엎드려 궁둥이를 쳐들었다. 내 항문 속으로 다이너마이트가 들어왔다. 딱딱한 것을 억지로 쑤셔 넣자 몹시 아팠다. 그대로 넣기만 할 건가? 아니면 피스톤 운동을 하는 중인가? 엎드린 자세를 취한 것만으로 수치심이 밀려들었다. 힘주지 마세요. 힘주면 아파요. 의사가 부들부들 떠는 내 허벅지를 문지르며 외쳤다. 힘주지 않으려 해도 고약한 기억을 품은 내 몸이 저절로 반응했다. 감촉이 아닌 기억의 고통이다.

모니터에 비치는 내부는 분홍빛의 구불구불한 통로다. 매끄러운 점액질 가득한 계단. 좁고 기다란 통로. 동기와 원인과 의미와 결론의 통로들. 그 통로를 따라 깊숙이, 깊숙이 들어가면 원하는 장소에 도달할 것 같았다. 천국은 높은 곳에 있는 게 아니다. 천국은 안으로 파고들어야 들어갈 수 있다. 좁고 깊고, 깊고, 깊은 속. 지구 위의 많은 구멍. 발화점. 죄악의 통로. 누군가가 나를 끌고 축축한 통로로 인도한다. 그의 손가락은 부드럽고 촉촉한 혀 같았다. 냄새가 좋다. 밀려들어 가는, 빠져드는, 깊고 깊은

동굴. 내려가는가 싶더니 올라간다. 흡입기에 빨려 쭉쭉 쭉 올라간다. 우뚝 솟은 철탑. 철컥철컥 시추 도르래가 빠르게 풀어지고 유압펌프는 증기를 내뿜으며 위아래로 피스톤 운동을 한다. 저 멀리 시추탑은 에펠탑과 비슷하게 생겼다. 철골 구조물이 구멍 위로 우뚝 서 있다. 우뚝, 우뚝, 우뚝 선 욕망의 십자가. 십자가는 불꽃을 이길 수 있을까.

슈가 대디는 가끔 내게 물었다. "그때 맛이 어땠어? 그때 기분이 어땠어?" 나도 그에게 물었다. "그날 기분이 어땠어요? 사람이 진짜 많았잖아요. 우리 모두 뉴스에 나왔죠." 그날, 우리는 위험한 존재였고 우리를 바라보는 사람들은 겁을 집어먹고 있었다. 그래서 통쾌하지 않았느냐고 부목사가 웃었다. 나는 잘 기억이 나지 않았다. 이미 오래전 일이라 흐릿하게 마모되어버린 나의 기억과 슈가 대디의 기억을 짜 맞춰보는 재미가 있다. 아무리 자주 들어도 질리지 않는 소재. 좁은 매트 위에 나란히 누워 나누는 그때 그 이야기들. 선교원 앞에 모여든 경찰차와 구급차, 그 인파가 어마어마했다고 설명하는 그의 목소리는 들쭉날쭉했다. 자랑하는 것 같다가도 뭔가 아쉬운 듯 입맛을 쩝쩝 다셨다. 그날 병원용 구급차가 와 있었다는 말은 그의 입을 통해 처음 알았다. 선교원에 모인 우리가 집단자살이라도 할까 봐 예비한 거라고 했다.

어린 학생은 돌려보내라고 간청하던 자가 나를 물끄러미 쳐다봤던 기억은 난다. 소란한 와중에 방송사 중계차가 눈에 띄었다. 선교원 앞에 중계차가 들어서자 경찰이 길을 비켜달라고 호각을 불었다. 구경꾼들이 우리를 가리키며 외쳤다. 아이들은 놔둬요, 어린 학생은 집에 보내라고! 나는 소리 지르는 사람들의 얼굴을 가만히 구경했다. 연이은 금식 기도 때문에 배가 고파 현기증이 일었다. 몸이 가벼워야 하늘길로 둥둥 떠 날아갈 수 있다기에 금식 중이었다. 갈증이 견디기 힘들면 물 한 모금을 조금씩 나눠 마셨다. 방송 장비를 만지던 아저씨가 사탕을 주기에 몰래 받아먹었다. 새콤한 딸기 향을 입에 물고, 찬

송하고 기도하면서 사탕이 빨리 녹아 없어지지 않기를
바랐다.

그때 사탕 맛이 최고로 맛있었다고 하자 부목사는 샐
쪽한 표정을 지었다. 그가 뾰로통해지면 나는 더할 나
위 없이 달아올랐다. 그도 그것을 알기에 놓치지 않았다.
"그래서 그놈과 다시 만났어? 나보다 더 달고 맛난 사탕
을 주든?" 아니라고 해도 그는 자꾸 되묻고는 변명했다.
"너를 챙길 겨를이 없었어. 난 그날 정말 바빴거든."

안다, 나도 안다, 나도 그건 안다. 엄청난 북새통이었
다. 선교원에 모인 사람들이 동란 때 한강 다리에 매달린
피난민 같다고 어떤 할머니가 말했었다. 다들 절박했고
함께 떠나기 위해 사력을 다했다. 나는 그날이 오기 전부
터 조마조마했다. 모두 떠나버리고 나만 남을까 봐 무서
웠다. 아무리 기도해도 자정을 향한 시곗바늘은 멈춘 것
처럼 느릿느릿 굼뜨게 움직였다. 밖에서 가족의 이름을
부르며 어서 나오라고 사람들의 목소리가 계속 아우성치
고 있었다. 선교원 문 두들기는 소리가 악마의 부름과 같

앉다. 시간이 흐를수록 배가 너무 고파 지쳤고 럭키 생각밖에 나지 않았다. 아버지는 럭키를 안락사시킨 게 아니라고 했다. 천국에 먼저 보낸 거라고 했다. 우리도 곧 따라갈 것이고 우리가 하늘로 오르면 럭키가 나와 우리를 맞을 거라고 했다.

원래 동물병원을 싫어하던 놈이었다. 특히 그 병원을 싫어했다. 럭키 녀석은 병원에 도착하자 불안한 기색으로 꼬리를 살살 흔들어댔다. 수의사는 어두운 표정으로 나더러 밖에 나가 있으라고 했다. 아버지를 설득하는 수의사의 목소리가 들렸다. 차라리 다른 곳에 입양을 보내시죠, 이렇게 건강하고 예쁜데요. 순간 럭키를 끌어안고 도망을 쳐버릴까 생각했다. 주머니에 넣어둔 과자를 몰래 꺼내 줬다. 럭키가 촉촉한 코를 내 손바닥에 처박고 허겁지겁 먹어치웠다. 지금도 럭키 녀석이 과자를 먹던 순간 혓바닥의 놀림과 털의 감촉이 내 손바닥에 살아 있다.

수의사가 파란색 철제상자를 가져왔다. 그는 파커라고 적혀 있는 파란색 상자에서 약병을 꺼내 흔들었다. 버둥

거리던 럭키는 수면제를 맞은 뒤에도 파르르 떨며 억지로 눈을 떠 우리 가족을 보려 했다. 아버지는 럭키를 쓰다듬으며 안심시켰다. 곧 만나게 될 거야. 우리는 너를 사랑한단다. 통성기도 중 내내 럭키만 생각했다. 친구들과 담임선생도 생각했다. 뉴스에서 나를 봤을까? 카메라가 내 앞에 왔을 때 의연했어야 했는데…… 잡념에 허우적거리는 동안 모두는 황홀한 표정으로 목소리를 높였다. 럭키의 축축한 까만 코, 발바닥의 고릿한 냄새가 그리워 미칠 것 같았다.

환란을 보낸 다음 날, 기력을 찾자마자 동물병원에 갔다. 럭키를 돌려달라고 하자 수의사는 난감한 표정으로 처리해버렸다고 했다. 아버지 심부름이라고 둘러대며 고집을 피우자 수의사는 스테인리스 냉동고에서 비닐에 든 럭키를 꺼내 줬다. 얼음처럼 꽁꽁 얼어붙은 럭키를 품에 안고 허겁지겁 달려나갔다. 럭키는 내가 사준 목줄을 그대로 차고 있었다. 물기에 폭 젖은 털을 닦아주자 조금씩 보드랍게 변했는데 몸이 계속 뻣뻣하고 차가웠다. 숨이

멎는 순간 피를 토했는지 주둥이와 콧등에 검은 피가 말라붙어 있었다. 티슈로 피를 닦아준 다음 전에 살던 동네를 하릴없이 맴돌았다.

롯데리아에서 감자튀김과 콜라를 사 먹으며 럭키와 함께 뭘 할까 생각했다. 럭키와 살았던 예전 집에 가보았다. 아무도 없는 빈집이었다. 아직 이사를 오지 않았구나. 럭키를 묻어야 한다면 그곳밖에 없다고 생각했다. 꽃삽을 사서 담을 타고 들어갔다. 컴컴한 빈집에 럭키와 둘이 있었다. 럭키의 육신은 의미가 없고 영혼은 천국에 갔다. 그래도 하나님께 기도했다. 럭키를 다시 돌려주면 평생 은혜를 갚으며 살겠다고. 땅을 팠다. 구덩이를 아주 크게 팠다. 구덩이 안에 함께 들어가 럭키와 마주 누워 웅크리고 있었다. 럭키의 몸에 흙을 덮을 수가 없었다. 혼자 놔두는 게 싫었고 차마 땅에 묻을 수 없어 럭키를 품에 안고 엉엉 울었다.

어머니와 아버지는 럭키가 아닌 나였어도 그렇게 했을 것이다. 진심으로 사랑했으므로 가장 좋은 것을 준 것이다. 아마 더 좋은 게 있었다면 더한 짓도 했을 것이다. 그래서 원망하지 않았다. 이제 나는 사랑이라는 이름으로 한층 용감해졌다. 아버지가 오랜 투병 끝에 소천했을 때 나는 상주의 소임을 다하며 담담했다. 어머니는 남은 빚 때문에 근심을 드러냈으나 나는 기뻐하기도 슬퍼하기도 힘들었다. 다만 감사했다. 아버지가 마침내 하늘에 마련된 고대광실로 들어갔으므로 그의 영혼을 축복해야 마땅했다. 주변 지인들은 나의 신실함을 칭송하며 의연해서 다행이라고들 했다. 그러나 나의 마음은 복잡하게 굴절되고 이지러져 있었다.

슈가 대디는 감사와 용서 외에 나머지는 아무것도 아니라고 했다. 사랑으로 살라는 말이었다. 나도 세상을 사랑했고 많은 이와 사랑했다. 졸속하게 이루어진 다급한 사랑도 어쩔 수 없었다. 아침에 눈을 뜨면 지워버리고 싶은 과거가 추가되었다고 생각했다. 사랑을 찾아 서성이는 행위는 죄가 되지 않는다. 모두가 완벽히 사랑하고 서로를 용서하며 죄와 참회를 번복하는 가식의 퍼레이드에

어지간히 질렸다. 그래서 더 많은 사랑이 필요했다.

석유왕 맥킨리는 유전과 천연가스 매장지를 선별하는 것에 단호한 편이다. 그는 확신이 들면 멈추지 않는다. 불의 화신처럼 하나씩 점령해 무시무시한 불꽃을 터트렸다. 마치 꿀벌이 꿀을 빨 듯 석유를 뽑아냈다. 굴착에 미친 천재가 전 인류를 먹여 살린다. 강력한 물줄기와 농축된 다이너마이트 장전, 그리고 니트로글리세린이 보인다. 평평한 들은 안개가 낀 듯 흐릿하다. 지구상에는 아직 많은 석유가 있고 그 시커먼 기름은 답답하게 안에 갇혀 서둘러 빠져나오려 안달을 떠는 성질이 있다. 언젠가는 고갈될 자원이나 아직은 끄집어낼 것이 많다고 한다. 석유만큼 근사한 광물이 또 있을까. 내 집 앞마당에서 석유가 솟구친다면 얼마나 좋을까. 그렇다면, 그랬다면 휴거된 것보다 더 기쁘게 받아들일 것이다. 기적은 축복이고 축복은 허무를 간단히 소멸시킨다.

억새가 바람에 쓸려 이리저리 휘둘린다. 거대한 철근

구조물은 아무 표정 없이 하늘을 짊어지고 있고 시추플
랫폼에는 거창한 이름을 달고 있는 복잡한 기기와 장비
들이 즐비하다. 내가 하나하나 공학 사전을 뒤져 찾아내
야 하는 이름들. 빌어먹을 단어와의 싸움. 저 멀리 뽀얀
먼지가 피어오르는가 싶더니 트럭이 울퉁불퉁한 길을 따
라 줄지어 지나간다. 땀에 젖은 인부들이 석유의 꿈에 젊
은 육신을 제물로 바친다.

허리 업, 허리 업. 맨.

맥킨리 씨의 목소리가 들린다. 그렇다. 나는 서둘러야
한다. 나는 달려야 한다. 어디가 안전할까. 나는 왜 여기
에 있나. 폭파는 언제 하는가. 초조한 십 분을 흥청망청
써버리고 있다. 울퉁불퉁한 길을 굴렁쇠처럼 달린다.

이정표 말뚝을 찾아 언덕을 오른다. 맥킨리 씨가 폭파
장면을 볼 수 있는 가장 좋은 자리를 점찍어두었다며 올
라가 보라고 했다. 유독 가시가 많은 시무나무를 피하
려 신경을 쓰다가 어느새 방향을 잃어버렸다. 누르스름
한 버섯이 잔뜩 번져 있는 그늘로 들어간다. 가파른 비탈

을 오르는데 서편 철거지구에서 요란한 굉음이 들린다. 미약한 진동에도 나뭇가지는 물기를 후드득 떨어뜨린다. 벌판을 가로지르는 국도의 서편에는 철거가 한창이다. 정유 공장을 짓는다고 주변의 건물들을 싹 밀어붙이는 중이다. 곤죽이 되어버린 도시는 핵폭탄이라도 한 방 맞은 것 같다. 어머니가 저런 황폐함을 봤다면 뭐라고 할까. 마침내 지구는 끝이 났다고 순수하게 기뻐할 것이다.

언덕 위는 전체가 골고루 보이는데 사정거리가 멀다. 너무 멀다. 과연 여기서 뭐가 보일까. 안전하면 보이지가 않고 위험을 감수한다면 폭파현장을 자세히 보게 될 것이다. 초록 이파리가 바람에 흔들리며 시원한 소리를 낸다. 사방이 고요해 햇살이 풀잎 사이로 스미는 소리까지 귀에 들리는 것 같다.

올봄 폭우로 땅이 내려앉았는지 중간이 막혔다거나, 쥐새끼가 지니기다가 쏙 빠졌을지 모르지.

비가 많이 와서 토압이 문제인걸.

맥킨리 씨와 사내들은 지도를 봐가며 의논한다. 셋이서

모여 피워대는 담배의 푸른 연기가 황량한 잡초 위로 스산하게 퍼진다. 가장 먼저 신경 쓰는 것은 고가의 방음 캡슐이다. 주변에 아무도 살지 않아도 소음 수치를 지키지 않으면 벌금을 징수당한다. 밤에는 45데시벨, 낮에는 55데시벨을 넘으면 안 된다. 시추공 주변에 6미터 높이의 방음벽을 세우고 드릴 작업으로 생긴 폐기물은 특수 제작한 컨테이너에 분리해 실어야 한다. 그들은 진지한 표정으로 쑤군거리고 있다. 도면과 지도와 계약서가 바람에 후리리릭 나부낀다. 맥킨리가 무전기로 한창 통화하더니 어두운 얼굴로 내게 손짓을 한다.

늙은 여인이 이리로 오고 있다.

엄마요? 우리 어머니가 와요? 맥킨리 씨, 파커가 뭔가요?

파커?

예. 파커. 파커의 원뜻을 알고 싶어요. 번역해야 하거든요.

너는 이미 파커가 되었노라. 추억은 형상이 되고 형상

이 너를 빨아 먹어버렸나니.

무전기에서 이미 발파에 들어갔다는 음성이 지글거리며 흘러나온다. 길게 뻗은 국도를 본다. 발가락에 힘을 주며 비탈 아래로 조심조심 내려간다.

맥킨리 씨, 다시는 나를 이리로 불러내지 말아요. 기 빨린다고요. 성가시고 피곤해요.

해묵은 책에 든 나를 불러낸 이가 누구더냐. 나는 언제나 같다. 쇄를 넘겨도 같은 얘기만 하지.

맥킨리의 말에 연두색 형광펜을 긋는다. 사형선고의 연두색. 삭제해도 그만인 문장.

땅이 꺼지며 발이 푹 빠진다. 어머니는 다가오고 있고 나는 달아날 방법을 찾지 못했다. 한걸음 디디면 또 그만큼 땅이 꺼진다. 쑥쑥 빨려 들어간다. 어느새 무릎까지 발이 빠져 허우적거린다. 땅이 저절로 밑으로 쑥쑥 꺼지고 나도 어느새 진구렁에 들어가 있다. 암석이 무너지는 굉음이 요란하게 울린다. 배가 아프다. 벽돌이 든 것처럼 불편한 아랫배가 본격적으로 용트림을 한다.

쿵, 멀리서 발파하는 소리가 난다. 새들이 일제히 날아오른다. 새들은 허공에서 깨처럼 흩어진다. 마치 까만 점으로 이루어진 파열음의 기호처럼 보인다. 발밑으로 전기가 흐르듯 미약한 진동이 부르르르 일어난다. 황량한 들판이 조금씩 움직인다. 미세한 진동. 어디선가 또 땅을 파거나 구멍을 뚫고 있는 모양이다. 뚫고, 파고, 갈고, 넣고, 광물을 찾느라 분주한 인간들의 간섭에 납작하게 누워만 있던 땅들이 몸살을 앓는다. 어디에선가 날아온 매캐한 기름 냄새. 고무질의 탄내. 역한 화약 냄새. 배가 아프다. 배를 움켜쥐고 주저앉았다.

중국집에 볶음밥을 주문한 다음 책상에 앉는다. 챕터 별로 번역하다 보면 생각지도 않은 곳에서 해결되기도 한다. 비슷한 시대에 출간된 관련 서적은 전혀 도움이 되지 않는다. 챕터 별로 낱낱이 뜯어 얄팍한 종이 묶음이 낱낱이 흩어져 있다. 하품이 쏟아진다. 어디까지 했더라? 천구백팔십구 년, 보스톤 메이오 클리닉에 입원한 도널드 맥킨리는 시월 이십사일, 심정지로 사망한다. 여든아홉 살이었다.

맥킨리 가문이 설립한 맥킨리 재단은 해마다 각 대학 소속 지질학자들에게 연구비를 지원한다. 우간다와 남수단, 파키스탄 등의 기독학교는 맥킨리 재단의 지원을 받는다. 석유 시추 작업 도중 사망한 노동자의 유족들이 맥킨리 재단에 소송을 걸었고 삼 년여의 재판 끝에 승소한다. 보상금은 한 사람당 육만 천 불. 맥킨리 가에서 삼십 분마다 벌어들이는 금액 정도.

출판사 사장을 통해 한국 석유공사의 자문위원이며 석유 시추와 생산공학의 권위자에게 연락했다. 생소한 용어의 해석을 부탁하며 맥킨리의 책자를 스캔 파일로 첨부했다. 그는 시대감각에 뒤떨어지는 내용이라며 자신의 책을 찾아 읽으면 도움이 될 거라고 했다. 혹 떼러 갔다가 혹 붙은 격으로 보스톤 대학에서 출간된 책을 아마존에서 구입하는 것만으로 피로감이 느껴지는 일이다. 다행히도 석유공사 홈페이지에 열람, 대출 가능한 석유개발

기술자료와 용어를 확인할 수 있었다.

볶음밥이 배달 올 때까지 딱 열 줄만 번역하자고 마음 먹었다. 방금까지 붙들고 있던 내용이 그새 아득하다. 책 자의 문장은 알파벳과 알파벳으로 성립된 조밀한 문장이 다. 낱말들이 무참하게 일그러지며 규칙적인 무늬를 만 들어낸다. 네모 반듯한 타일과 같다. 시끄럽게 떠들어대 는 타일과 타일의 조합. 타일들은 석유를 시추하고 시뻘 건 불길이 솟구치고 검은 연기를 꾸역꾸역 내뿜는 매캐 한 공기의 한가운데로 나를 끌고 간다.

맥킨리가 엔진을 끄고 전조등의 불빛 속에서 커다란 구멍 처럼 보이는 시추공을 응시했다. 이 줄이 아니다. 엎어져 자 기 전까지 자판을 치던 대목이 헷갈린다. 아직 깨끗한 책 장은 새로운 고지다. 고지가 보이지 않는다. 이미 했던 것, 언젠가 건드렸던 문장, 익숙한 문장의 능선, 지질학자 들과 설전을 벌이는 장면을 지나 석유공법에 제재를 가 하는 정치인과 설전을 벌이는…… 그다음, 채굴시설, 기 기의 공법, 지질학의 장황한 가설들. 그렇다. 여기, 채굴

과정에 대해 옮기던 중이었다. 생경한 단어들의 범람. 문장 사이의 비좁은 골목마다 산탄총을 든 어머니가 매복되어 있다. 뉘앙스와 뉘앙스로 이루어진 드넓은 산하에서 어머니는 기도하고 찬송하며 영혼을 맑게 닦아낸다. 어머니는 날마다 새벽에 일어나 기도원 마당을 빗자루로 싹싹 쓸며 아들을 위해 기도한다. 마지막 희망인 아들을 위한 기도. 어머니와 나는 각자 잘살고 있다. 언젠가 천국의 문이 열리면 모든 번뇌를 한목에 싸안고 날아갈 것이므로 그럭저럭 각자의 제 소임을 다하고 있다.

은수천

경기도 버스 안내 앱을 열어 30번 배차 시간을 확인한다. 30번 마을버스는 삼거리 약국에서 회차해 근처 시내를 총 여덟 번 돌고 종점에 올라간다. 지금 순회 중인 버스가 이제 한 바퀴 돌았으니 앞으로 두 시간은 기다려야 산꼭대기로 오를 수 있다. 뭐 이런 경우가 다 있나. 버스를 타고 올라 아주 잠깐만 둘러봐도 세 시간 이상 걸리는 일. 다시 찬찬히 시간 계산해봐도 틀림없다. 집으로 돌아갈 일이 막막하다. 내 집으로 돌아갈 버스는 바로바로 오지만 여기서 출발해 삼십 분 달리고, 아파트 앞에 내려서 놀이방까지 도보로 십 분. 아무리 서둘러도 4시까지 도착하기는 힘들다. 놀이방의 수야 데리러 갈 시간이 빠듯한

것이다. 지난주 금요일에도 놀이방에 지각했고 어제는
한 시간이나 늦었는데 더는 민폐 끼칠 수 없다.

"버스 오네."

어머니가 지팡이를 들어 삼거리 약국 앞에서 빙그르르
도는 마을버스를 가리킨다.

"저거 아냐. 두 시간 뒤에 오는 버스만 종점 올라간대.
30번 버스라고 다 올라가는 거 아냐. 지금부터 두 시간!
엄마, 다음으로 미룹시다. 언제 갔다가 언제 와? 수야 찾
으러 갈 시간 늦는다고."

"응, 니는 바쁘면 고마 가. 내 기다렸다 타고 갈게."

어머니는 마을버스 배차 시간을 아는 눈치다. 화를 내
거나 놀라기는커녕 선선히 고개를 끄덕이니 괜히 허탈하
다. 알았으면 미리 말이나 해줄 것이지.

"혼자? 그 다리로 어딜 혼자? 아니 저 위에 뭐 볼 거 있
다고 자꾸 고집이셔?"

어머니는 손수건으로 인중을 꼭꼭 눌러 닦고는 누런
보리차가 든 물병을 느릿느릿 끄집어내 내게로 들이민

다. 비닐로 감싼 물병이 물기로 흥건하다. 난 됐어요. 딱 잘라 거절하자 어머니는 턱을 치켜들고 보리차를 양껏 들이켠다. 가방 안에는 오늘의 일정을 일찌감치 작정한 듯 얼린 물병 두 개가 나란하다. 기어이 은수산에 올라갈 모양인가. 어머니는 가방 지퍼를 채우며 중얼거린다.

"위에 엄청나더라. 으찌나 물이 많든지. 수야 니도 보면 놀랄 걸?"

가봤구나. 가봤으니 알지. 은수산 꼭대기가 꽤나 좋았던 모양이다. 언제 누구랑 저 위에 가봤는지 묻자 어머니는 못 들은 척, 슬그머니 고개를 돌려버린다. 오늘 참 이상하네. 어머니는 한의원에서도 그랬고 여기까지 걸어오는 동안 은수산에 올라가 보자는 말 외에 계속 입을 다물고 있다. 찌푸린 얼굴로 내내 시큰둥하다. 나 혼자만 수야 간식 먹이는 얘기나 엊저녁 냄비 태운 얘기를 떠드느라 정신이 없었다.

정류장에 있던 사람들이 마을버스를 타고 떠나자 우리 둘만 남았다. 하고픈 말이 속에서 버글거리는데 차마 입이 떨어지지 않는다. 어머니 눈치가 수상하다. 일부러 철벽을 치는 건가. 바늘구멍만큼의 틈조차 보이지 않는다. 그저 조용한 게 아니라 진흙처럼 굳어 있는 느낌이라, 혈압과 혈당수치는 요즘 어떤가, 침 맞을 때 안 아팠나, 어제저녁엔 뭘 드셨나, 시시껄렁한 질문을 퍼부어대도 어머니는 묵비권으로 방비라도 하듯 군다. 설마, 알아챈 건가? 오늘 아침, 남편이 먼저 통화하면서 어머니와 무슨말을 나눴는지 나는 모른다. 남편더러 당신 마음대로 진도 나가지 말라고 당부했지만 내 말을 듣는 사람이 아니지. 이래서 아버지보다 어머니가 설득하기 힘들다. 아버지에게 계속 연락했던 이유는 그거 하나.

"아버지는 왜 자꾸 전화기를 놔두고 나가요?"

어머니가 고개를 돌리고 퉁명스레 내뱉는다.

"전화기가 자기 코뚜레라 세상 성가시다잖아."

"코뚜레 맞네. 엄마가 활명수 사 와라, 양파 사 와라, 자꾸 심부름시키니까. 아이 그래도 그렇지. 요즘 전화기 없이 뭘 할 수가 있어?"

아버지부터 우리 편으로 만들어야 했다. 아버지가 먼저 오케이, 한다고 일사천리 성사되는 건 아니지만 적어도 말 꺼내기가 이토록 어렵지는 않을 것이다.

날씨는 나무랄 것 없이 청명하다. 오랜만에 찾아온 비바람 덕분에 미세먼지가 깨끗하게 씻겨 산 위의 파란 하늘이 산뜻하니 맑다. 어머니는 산쪽을 기웃거리느라 까치발을 든다. 암만 고개를 빼도 바로 앞을 가로막은 건물들 때문에 산꼭대기는 보이지 않는다. 성치 않은 발목 때문에 미간을 찌푸리면서도 뭘 보겠다고 저리 용을 쓸까. 지팡이를 양손으로 붙들고 자꾸 깡충거린다. 보이지도 않는 꼭대기를 보려는 게 아니라 그곳에 가겠다는 자신의 의지를 강조하는 거다.

어머니가 혼잣말하듯 중얼거린다.

"나 신경 쓰지 말고 볼일 봐, 혼자 가도 그만이야. 까짓거."

"죽기밖에 더 하겠냐고? 으이그 어련하시겠어."

어머니가 입을 쭉 내민다. 어머니 말버릇, 자조적인 어투로 늘 꽁무니에 붙이는 말. 죽기밖에 더는 하겠느냐는 말. 그딴 소리로 사람 힘 빠지게 하지 말라고 간청해도 그때뿐이다. 그만 좀 하라고 부탁해봤자 어머니 아버지는 각자 지친 얼굴로 "느이도 우리 나이 되면 알 것이다."라고 일축해버린다. 그런데 지금 내 심정이 바로 그것이다. 그 일을 되게 하지 못하면 죽기밖에 더 하겠나. 이도 저도 안 되면 길거리 나가 앉으면 그만이다.

집에 돌아가면 승낙받았지? 라고 남편이 물을 것이다. 남편은 정 안 되면 자신이 장인 장모 앞에서 무릎 꿇고 사정하겠다고 했다. 가당치 않은 소리다. 그 정도로 변죽이 좋았으면 그간의 기회를 그렇게 허망하게 날렸겠는가. 말만 앞세우며 나를 달달 볶다가 정작 중요한 때 꽁무니 빼는 것만 일등인 사람. 요령 없는 인간이 비빌 곳이라곤 빤하다. 남편은 합가 외에 답이 없다고 결정을 내렸다. 제 목숨줄 쥔 사람이 다른 사람도 아닌 바로 장인, 장모님이라는 말까지 했다. 하루빨리 목돈을 내지 않으면 다른 물주가 낚아챌까 봐 걱정인 것이다. 남편이 안달을 떨수록 밀고, 내 눈치를 보며 설설 기면 더 미운데도 왠지 불쌍하다.

동업자가 찍어둔 자리는 내가 봐도 나쁘지 않다. 요즘 대박 아이템은 뭐니 뭐니해도 셀프세차장이 아닌가. 지역 맛집으로 인기몰이 중인 돼지갈비 식당이 건너편에 있고 스크린골프장 맞은편으로 주말이면 신도들 차량이 넘쳐나는 교회까지. 남편은 목 좋은 자리를 놓칠까 봐, 동업자가 요구하는 시한을 놓치게 될까 봐 초조하다. 다 좋은데 자금이 문제다. 늘 돈이 문제다. 은행 대출로도 부족해 사업자금을 구하러 백방으로 뛰어다녔다. 나도 함께 달렸다. 남편이 느리고 답답해 내가 많이 설쳤다. 아쉬운 사정을 말하기란 처음이 어렵지 자꾸 하다 보니 점점 염치가 없어져 간다. 면을 익힌 사람이면 일단 체면 불고하고 돈 얘기부터 꺼내는 지경에 이르렀다. 그래도 손에 들어온 건 없었다. 남편 신용이 없어서가 아니라 다들 녁녁지 않아서다. 요새 돈 쌓아놓고 사는 사람이 어디 있느냐는 말, 나도 많이 들었다. 얼마나 흔한 말인가. 손 벌려 돈을 빌릴 때마다 후렴처럼 듣고 있다.

　우리 사정을 아는 시어머니는 어서 집부터 내놓으라고 성화였다. 사흘에 한 번꼴로 내게 전화해 어서 본가에 내려오라고 차분한 목소리로 타일렀다. 본가에 들어와 살면서 수야아범은 형이 하는 일을 거들고 넌 수야 키우며 집안 살림과 가풍을 익히라는 것. 그 은근한 제안에 당황한 건 남편도 마찬가지였다. 본가에 내려갈 생각이 추호도 없었기에 슬쩍슬쩍 거절의 의사를 밝히자 이번에는 시아버지가 내게 물었다. "아가, 사돈어른이 뭐라시노? 맏이 도와줄 여력이 정녕 없으시다 카노?" 넌지시 다가온 질문이 생선 가시처럼 내 목구멍에 콱 걸려 버렸다.

　왜 안 해봤겠는가. 일찍이 어머니에게 남편 사업자금 운운하며 합가를 사정해봤으나 코웃음 치는 반응만 얻었다. 한마디로 거절이었다. 애초에 친정은 내가 비빌 언덕이 아니다. 아버지 퇴직금과 연금 대부분이 손바닥의 모래처럼 사라져 가는 중이라고 했다. 과장이 아닌 줄 안다.

바로 옆에서 내 부모의 남루한 일상을 보고 있으니 누구보다 내가 잘 안다. 사람이라는 몸뚱이는 숨만 쉬고 있어도 소비하고 소비하며 재화를 탕진한다. 아버지는 퇴직한 뒤로 소소한 일거리를 찾아 부지런히 움직였으나 병원비며, 생활비에 공과금 등등으로 현상 유지조차 어렵다. 그것만 해도 어디냐고, 친정에 보태지 못하는 처지라 죽어도 손 내미는 짓은 하지 않으려 했다.

등 댈 곳 없는 주제에 손에 쥔 건 오직 전세보증금뿐이라 이마저 날리면 끝장이구나 싶어 집을 내놓지 않고 미적거렸다. 남편의 계산과 나의 계산이 다른 것이다. 그런 중에 안동 본가에서 세입자들을 내보낸다는 소식이 들렸다. 세입자들이 나가면 바로 도배하려고 벽지를 고르는 중이라는 시어머니 말에 정신이 번쩍 들었다. 노인들의 발 빠른 행동력이라니, 이러다 꼼짝없이 시가에 끌려 들어가겠구나! 저 멀리 희미하게 보이던 불길이 당장 코앞에 들이닥친 기분이었다. 어느새 발바닥까지 달궈 앗, 뜨거워! 팔짝팔짝 뛸 판이다.

달마다 제사에 찾아오는 손님들로 북적이는 시가, 층층시하를 견디느니 친정살이가 낫다. 아무렴 하늘과 땅 차이지. 여기 터 잡은 게 몇 년인가. 이 지역 토박이들과 호형호제하기까지 들인 공력이 아까워 이대로 떠나기 싫다고 남편이 선언했다. 그간 알음알음 터놓은 인맥이 그나마 재산이라는 것이다. 남편과 나는 수야를 재워놓고 밤마다 고민하고 의논하다 술기운에 젖어 눈물까지 흘려가며 마지막 배팅을 해보자고 이를 악물었다. 풀 한 포기 없는 사막에서 저 멀리 오아시스로 건너가려면 마지막 수통을 털어 마시고 힘내야 한다. 동력이 있어야 그리로 가지 않겠나.

갑갑한 아버지 어머니 성미를 생각하면 여전히 내키지 않으나 다시 합가를 설득해보자고 우리끼리 의기투합했다. 생각해보면 그리 힘든 일도 아니다. 김치냉장고가 차지한 부엌 옆 빈방을 우리 세 식구가 쓰고 수야 장난감 등은 거실에 내놓으면 된다. 아직 신형인 우리 집 가전제품을 들이고 친정의 구닥다리 물건을 싹 정리하면 그리

좁은 공간도 아니다.

결심이 서자 마음이 급해졌다. 하루라도 빨리 주인에게 알리고 집을 내놔야 일이 진행될 것이다. 남편은 점찍어둔 장소를 빼앗길까 노심초사, 수시로 동업자와 통화하고 의논하며 나를 볶아댔다. 일차 설득 대상으로 아버지를 점찍고 어제부터 계속 연락해봤으나 전화기는 꺼져 있었다. 또 내기바둑을 하러 가셨나? 예전 회사 멤버들과 또 회합인가? 참다못한 남편이 이른 아침부터 구자동 친정에 전화를 걸었다. 어머니는 한의원에 갈 채비 중이라 했다. 아버지도 없이 혼자 비척비척 나선다니, 모르면 몰라도 알고 모른 척할 수는 없었다. 남편은 어머니가 좋아하는 호반가든의 갈비를 대접하며 오순도순 잘 얘기하라며 내 어깨를 두드려줬다. 그러니까 지금부터 설득 작전에 들어가야 한다. 공연히 눈치 보며 꾸물거릴 게 아니라 빨리 합가를 허락 맡고 기분 좋게 수야를 데리러 가면 된다.

"엄마, 우리 저 카페 갈까? 시원한 냉커피 좋아하잖아.

저기 아이스 아메리카노가 싸."

맞은편 약국 옆의 카페를 가리키며 팔을 잡아끌자 어머니는 고개를 내젓는다.

"꼭대기부터 보고 와서 나중에. 수야, 니 올라가 봐, 내는 봐도 모르겠더라. 물이 깊은지 얕은지 내 눈깔이 나빠 봐도 봐도 통 모르겠더라."

"물이 깊은지 얕은지? 아이고 우리 엄마, 여유작작이시네. 산속 물 깊이까지 궁금하시니."

쉬운 건 하나도 없다. 건너편 카페가 오아시스처럼 보인다. 목이 마르기도 하고 속이 헛헛하기도 하다. 뭐라고 말을 꺼낼까. 중요한 부탁을 이런 분위기에서 시작할수 있으려나. 어머니는 허공을 바라보고 있다. 고집스레꽉 다문 입, 여덟 팔 자로 찌그러진 눈썹 아래 늘어진 눈꺼풀만 분주하게 깜빡인다. 내 시선을 회피하는 낌새는뚜렷하다. 역시 수상하다. 뭔가 있다. 뭘까. 두 사람이 또싸웠나?

아버지는 전화기를 꺼두고 사라졌고 어머니는 좀 이상

하다. 평소라면 내 얼굴을 보자마자 아버지 험담부터 늘어놓았을 것이다. 아버지가 가사를 전담한 이래 살림살이가 얼마나 엉망진창인지, 몇 번을 일러줘도 고치지 않는 아버지의 쇠고집에 대해 귀가 따갑도록 시시콜콜 불평했다. 그런데 어머니는 오늘따라 다르다. 말수 없이 잠잠한데 왠지 모르게 산만한 기운이 느껴진다. 생각에 빠져 말은 없어도 한 자리에 가만히 있지 않고 내내 쑤석거리며 가방을 열었다가 닫았다가 물을 마셨다가 손수건을 꺼내 땀을 닦는다. 뭘까. 단박에 털어놓기도 힘들 만큼 두 분이 싸운 건가. 다른 게 없을 것이다. 그렇지. 박 터지게 싸운 거다. 왠지 요즘은 조용하다 싶었다. 어쩌면 일이 순조롭게 풀릴 것 같다. 어머니 아버지 벌어진 틈새에 우리 세 식구가 둥지를 틀면 그만.

아버지가 끼니 차리기를 전담하게 되고부터 각자의 짜증이 늘었다. 어머니 입맛은 예민한데 아버지 손은 느리고 투박하다. 아버지는 매사 무신경한데 어머니의 당뇨 식이는 복잡하고 번거롭다. 어디 밥상뿐인가, 빨래와 청

소, 장보기와 병원 순례는 무력한 두 노인에게 닥친 엄청
난 노동의 쳇바퀴. 이제 가사노동의 노역에서 헤어날 방
법은 하나뿐이다. 다행히 이들에게는 내가 있고 나는 뭐
든, 기꺼이 감당할 생각이다. 어차피 늘 차리는 밥상, 내
가 총대 메면 그만이다. 수야를 실컷 맡길 수 있다면 못
할 일은 없다. 내 부업 수익을 친정 살림에 보태면 서로
윈윈이 아닌가.

"야야, 이럴 게 아니라 살살 걸을까 봐. 저기 길이 뻥 뚫
려 있잖아."

"꼭대기까지 걷자고? 침 맞아서 잠깐 괜찮은가 본데,
저길 걸었다간 통증 도져요. 비싼 침값만 날리는 거지."

"사부작사부작 걸으면 그만인데 뭐하러 두 시간이나
허송세월해. 빌어먹을 마을버스 같으니."

어머니는 느릿느릿 앞장선다. 더는 미룰 수 없다. 어머
니에게 의논해야 한다. 합가, 합가의 명분. 우리 가족이
스펀지 역할을 하면 두 사람이 더는 싸우지 않게 된다. 삼
거리 약국 앞, 택시가 선 방향으로 손을 흔든다. 택시를

불렀다고 하자 "야야, 돈 아깝게, 뭐 하러." 타박하는 말투가 무색하게 어머니는 택시를 찾아 두리번거린다. 부실한 걸음으로 택시가 오는 방향으로 슬금슬금 앞으로 나간다. 굵은 침 열 개, 짧은 침을 삼십여 개나 꽂았던 오른쪽 정강이는 막대기처럼 뻣뻣하게 움직인다. 건너편에서 유턴해오는 택시를 바라보는 어머니의 정수리, 둥근 윤곽이 햇살을 받아 뚜렷하게 드러난다. 머리숱이 전보다 확 줄어버렸다.

택시 뒷좌석에 나란히 앉아 차창부터 열었다. 운전기사가 택시 안에서 담배를 태운 듯 냄새가 고약했다. 기사가 핸들을 꺾으며 물었다. "오래 걸리세요? 내려갈 땐 뭐 타시려고?" 대답이 바로 나오지 않는다. 위에 도착해 뭘 해야 하는지도 모른다. 어쨌거나 종점에서 다시 출발하는 버스를 타기는 힘들 것이다.

"손님, 기제사나 추도식 하러 가세요?"

"예? 그냥 구경하러 가요. 잠깐 둘러볼 테니 기다려주

실래요?"

기사는 그러세요, 라고 선선히 대답한다. 왕복 요금만 계산하자고 가격을 흥정하는 동안 어머니는 등을 세우고 앉아 차창 밖 풍경에 정신이 팔렸다. 택시는 꼬불꼬불 가파른 길을 뱀처럼 미끄러져 오른다. 일차선 좁은 길이나 오가는 차량이 없어 시원하고 수월하다. 처음 가보는 산길이어도 온통 초록 범벅의 흔해 빠진 숲길이라 낯설지 않다. 이 지역도 버려진 공장이 많다. 공터와 나무 사이로 텅 빈 건물과 쓰레기 더미가 숨바꼭질하듯 언뜻언뜻 보이다가 사라진다. 노는 땅이 이렇게 많은데 내 땅은 한 평도 없구나. 회색 벽마다 시커먼 녹물이 얼룩덜룩해 언뜻 눈물을 흘리는 건물처럼 보인다.

어머니가 콘크리트 평평한 길을 들여다보며 말한다.

"이 길 밑으로 은수천이란다. 시멘트로 물길을 덮었다나."

"복개천이네."

"은수천이라니깐."

어머니의 말에 택시기사가 끼어든다.

"은수천을 복개했으니 은수천이 복개천이라고요. 복개하기 전엔 은수천에서 송사리 무지하게 잡았죠. 김영삼이 시절, 한창 개발 붐 일어 공장 많이 지을 때 여기를 싹 뜯어고쳤죠, 그전에는 툭하면 홍수에 물난리였다고요, 아이엠에프 때 여기만이 아니고."

알람 소리에 전화기를 열어본다. 남편이 물음표만 세 개 적은 문자메시지를 보냈다. 내가 제때 보고하지 않으니 어지간히 속이 타는 모양이다. 어머니가 앞좌석을 붙들고 묻는다.

"기사 양반, 기제사를 지낼 정도면 거서 사람이 그리 많이 죽었수?"

"더러 그랬다더라고요."

"사람이 거서 물에 빠지면 얼루 간답디까? 온통 시멘트 발라놨으니 당최 얼루 갈까 모르겠네. "

어머니의 엉뚱한 물음이라니. 운전기사는 마주 오는 하얀 트럭에 길을 내주느라 우측으로 비켜 세웠다. 어머니는 일부러 그랬을 것이다. 이곳이 한때 호시절 반짝했다 쇠락한 걸 모르는 사람은 없다. 세월이 이만큼 흘렀어도 그때 얘기는 여전히 거북하고 불편하다. 아이엠에프야말로 마른하늘에 날벼락이 아닌가. 우리 가족만 그런 건 아니다. 공장 건물마다 죄 비어 저렇게 폐허가 되어버렸는데. 그 공장에서 일하던 사람들은, 그 가족은.

"손님, 저 위에서 물에 빠지면요, 여기 복개천 밑을 빙빙 돌아서 산 너머 흘러 흘러, 굽이굽이, 여기서 십오킬로, 양진 하수처리장으로 가요. 한 이틀 걸린답디다. 물길이 그리로 모이는 거라 희한하게 그 멀리 양진으로요. 그래서 여기가 무서운 거요, 물길이 콘크리트 밑으로 흐르니 암만 뒤져도 못 찾아요. 하필이면 그 먼 하수처리장까지 간다고요."

어머니는 고개를 끄덕이며 가방에서 수건을 꺼내 인중을 꼭꼭 눌러 닦았다. 내가 물었다.

"기사님은 세차 어디서 하세요? 셀프세차장 이용해 보셨어요?"

"우리야 회사에서 세차하죠."

셀프세차장의 사업전망에 관해 묻고 싶어 입이 근질거렸다. 요새 셀프세차장이 대박이라죠, 라며 돈을 쓸어모으는 신종 아이템이라고 운전기사가 추임새를 넣어주면 얼마나 좋겠냐만. 어머니가 잘 알아듣게 설명할 방법을 궁리하자 그저 답답해 속이 탄다.

숲은 제법 울창하다. 위로 오를수록 산세가 뚜렷하게 드러난다. 길은 더욱 좁아지고 더욱 가파르다. 우리가 탄 택시를 앞지르려 뒤에 바싹 붙은 트럭이 우람한 엔진 소리를 낸다. 좁은 차선에 트럭과 나란히 붙자 기사는 먼저 가라, 가, 하며 길을 내준다. 흙먼지가 뿌옇게 피어올라 부랴부랴 창문을 닫는다.

오르막길 오른쪽에 버스회사 건물이 보인다. 거의 다온 모양이다. 공터나 다름없는 너른 공간 한옆에 붉은 벽돌 건물에 관리사무소라고 적혀 있다. 산꼭대기 너른 공터에 자리 잡은 버스 종점이 생경한데 좌우로 구부러진 소나무가 바위들 사이로 조화롭게 펼쳐져 있어 한 폭의

동양화처럼 보인다. 열린 창으로 싱그러운 냄새가 들어온다. 물소리, 새 지저귀는 소리가 잔잔하게 소용돌이치고 있다. 공터를 지나자 사방은 온통 푸른 빛, 숲 가운데로 빨려 들어가는 느낌이다.

차선의 끝, 출입 금지 표지판 바로 앞에 차를 세운 기사는 더는 들어갈 수 없다고 한다. 표지판이 걸려 있는 철망이 차선을 막고 있다. 낙석 주의, 등산 금지라고 적혀 있는 경고문에 위축된 기분이라 먼저 주변을 둘러본다.

"입산 금지래도 요기서 둘러보는 건 괜찮겠죠?"

"그럼요. 사고가 많아 임시방편으로 들어가지 말라고 한 건데 풍경에 임자가 있나요? 저 사잇길로 다 들락거려요. 요 위에 매점이 있고 바로 옆에 화장실도 있어요."

택시에서 내리자 콸콸콸 물소리가 주변 모든 풍경을 물기로 적셔버린다. 푸드덕 새가 날자 나뭇가지가 일제히 흔들린다. 어머니는 홀린 듯 앞장서고 나는 가방을 챙겨 따라나선다. 물가로 다가갈수록 물비린내가 물씬 풍긴다. 돌무더기 너머로 맑은 물이 넘실넘실 아래로 흘러

간다. 어머니는 어느새 물가에 서서 밑을 내려다보고 있다. 수면 위 어머니의 그림자가 혼자 일렁거리며 춤을 춘다. 어머니가 날 보며 뭐라고 말하는데 물소리가 모든 소리를 잡아 먹어버려 귀가 먹먹하다. 큰 바위 작은 돌, 자갈과 이끼 때문에 미끄러운 돌을 밟고 엉금엉금 강가로 간다. 어머니는 지팡이로 짚어가며 위태로운 걸음으로 앞서 걷는다.

물은 맑고 부들이 만발한 강둑은 비교적 깨끗하다. 나물거리로 뜯어가고 싶은 싱싱한 가죽나무며 맹아지가 잔뜩 돋은 오동나무 밑으로 둥글레 잔잔한 하얀 꽃망울이 무더기로 번졌다. 휴일에 수야 데리고 소풍 오면 좋겠다. 성인이 된 뒤에는 부모님과 언제 나들이 갔는지 기억이 희미하다.

운전기사가 십 분 정도는 기다려줄 수 있다고 했으니 시간을 봐가며 놀아야 한다. 전화기를 열어 시간을 확인하는데 문자메시지가 와 있다. 이번에도 남편이다. 〈집주인에게 통고. 부동산에 내놓음〉 한숨이 나온다. 왜 이리

서두르나. 아직 입도 떼지 못했는데.

　어머니는 마치 이곳에 살았던 사람처럼 출입 금지 철책 사이로 거침없이 들어간다. 둔한 걸음치고 속도가 빠르다. 따라잡기 힘에 부친다. 바위 사이로 발을 구겨 넣어가며 간신히 통과하는 거친 길, 구불구불한 나무뿌리가 군데군데 솟구쳐 평평한 땅을 찾아 살펴야 하는 길. 어머니 동그란 등, 빨간 재킷이 푸른 나무 이파리 사이로 희끗희끗 멀어진다. "엄마, 어딨어? 밑에 잘 보고 걸어!" 오만한 물소리가 나의 외침을 산산이 흩어버릴 것을 알면서 목청껏 소리친다. 어머니에게만 보내는 말이 아니다. 내게 이르는 당부다. 내가 다치면 이런 험한 곳에서 어머니는 어쩔 것인가. 땅은 질고 울창한 나무들은 내 눈을 가린다. 문득 두렵다. 왠지 모든 일이 어그러질 것 같은 불길한 예감이 든다. 그래도 여기까지 왔으니 내 할 도리는 한 거 아닌가. 어머니께 허락을 구하는 나의 몸짓을 어떻게 설명할까. 아무라도 알아줬으면. 누구라도 설명해줬으면, 물냄새, 흙냄새, 풀냄새, 푸른 빛이 떠도는 톡 쏘는 냄새, 내

두려움의 냄새.

가파른 비탈길을 조금 오르자 물이 콸콸 흘러내리는 높은 꼭대기가 보인다. 이 정도라면 폭포라고 해도 손색이 없겠다. 올라서서 밑을 내려다보자 강이 제법 넓고 크다. 이걸 보라고 한 거구나. "엄마, 어디 계셔요? 나 여깄어!" 목청을 높여 불러도 어머니는 불편한 걸음새로 허겁지겁 앞서 걷는다. 격하게 들썩거리는 등만 봐도 헐떡거리느라 정신이 없는 것이다. 화장실이 급한가? 무시당한 것 같아 발길을 돌리고 싶다. 다시 불러도 대꾸조차 없다. 하는 수 없이 따라간다. 이렇게 애면글면 신경 쓰는데도 끝내 거절한다면 정말 서운할 것이다.

생각하면 서운한 게 하나둘이 아니다. 어머니는 우리 형제를 남녀차별 없이 키웠다지만 말도 아닌 소리. 동생이 군에서 첫 휴가를 나온다며 내 첫 여행을 취소시켰다. 나는 내 힘으로 결혼했는데 동생 결혼할 때 전세자금을 보태준 것을 한참 뒤에야 알아차렸다. 뿐인가, 동생네 아이들도 부모님이 키워줬다. 우리 가족이 서울살이 하는 동안 부모님은 어린 조카들을 돌보느라 늘 진이 빠져 있었다. 아버지가 놀이방에서 아이들을 찾아와 먹이고 씻기고 놀아주고, 동생네 부부가 퇴근해 오면 저녁밥까지 먹였다. 올케가 승진시험 준비로 바쁠 때는 아예 조카들을 겨우내 데리고 살았다. 그즈음 조카들을 눈썰매장에 데리고 가 찍은 사진은 큰 사이즈로 인화해 아직도 거실 벽에 붙어 있다.

동생네는 결혼이 빨랐고 어리고 미숙한 상태에서 아이들을 낳아 키우느라 매사 부모님의 진두지휘 아래 있었다. 나는 상대적으로 결혼이 늦어 수야 역시 늦고 지쳐버린 할아버지 할머니에게 챙김을 덜 받았다. 가끔 그에 대해 불만을 터트리면 아버지 어머니는 못 들은 척 귀를 닫아버렸다.

부모님은 4년여를 조카들 치다꺼리로 늘 허둥지둥 혼비백산이었다. 둘째 조카 다섯 살 때 계단에서 굴러 크게 다친 일은 지금 생각해도 끔찍하다. 아이를 키워보니 이제야 그때 그 일이 얼마나 큰 사건인지 이해가 됐다. 그

바람에 동생네와 서로 소원해진 거다. 동생 부부는 둘째 아이가 평생 장애를 가지게 될까, 대학병원에 데리고 다니며 눈물바람이었고 어머니와 아버지는 충격으로 몸져눕고 말았다. 동생은 올케가 직장을 관두자 자카르타 지사에 자원해 온 가족이 나갔다. 지금 둘째 조카는 축구부 활동을 할 정도로 건강해졌다. 가끔 한국에 나오면 조카들은 여전히 할머니 할아버지를 구김살 없이 따르지만 동생네 부부는 아직도 앙금이 사라지지 않은 듯 서먹하다. 어머니와 아버지는 사고가 나던 당시의 얘기를 입에 담기조차 싫어한다. 아마 그때부터였던 것 같다. 죽기밖에 더 하겠느냐는 자조의 말을 달고 살게 된 것이.

어머니는 비탈진 길을 허겁지겁 오른다. 꼭대기에서 사람을 만나기로 약속이라도 한 사람처럼 서두르는 것이다. 비탈은 좁고 가파르고 군데군데 박힌 사금파리에 발바닥이 아프도록 거친 길이나 시야가 탁 트이자 약간은 후련해진 기분이다. 바람이 선선해 땀 맺힌 목덜미가 일시에 시원해졌다. 솔 향기 머금은 바람을 한껏 들이마시며 만끽하려니 어머니가 나를 보며 손짓한다. 불러도 대답 한 번 안 하더니, 투덜거리며 눈을 흘긴다.

"수야어미야, 너 여 와서 봐. 물 많이 깊으냐? 얼매나 깊어?"

이 자리가 명당인가, 바로 밑 수직으로 강이 내려다보인다. 찰랑거리며 흐르고는 있는데 물이 흘러가는 방향이 어딘지를 모르겠다. 물이야 높은 곳에서 낮은 곳으로 흐를 테지만 어디가 높고 어디가 낮은지 한눈에 분간이 가지 않는다.

"깊은 것 같기도 하고 얕은 것 같기도 하고."

"여 말고 저기, 저 자리 봐라. 저기 서서 보믄 말이야."

어머니는 오른쪽 비탈 나뭇단이 잔뜩 쌓인 곳을 가리킨다. 그곳은 갈 수가 없게 험악하다. 들어가는 길목이 몹시 가파른 데다 쌓아놓은 나뭇단 때문에 발 디딜 틈이 보이지 않는다. 누가 저렇게 고약한 심술을 부렸나. 아무렇게나 쌓아놓은 나뭇단이 없다면 시야가 가장 좋은 자리다. 묘하게도 그 자리 주변 나무에 빛바랜 플라스틱 조화가 여기저기 걸렸다. 조악하게 만든 엉터리 꽃을 왜 저기에 걸어둔 건가. 풍경은 임자가 없다지만 임자 행세를 하느라 저렇게 막아놨겠지. 대체 무슨 짓인가. 입산 금지가 적힌 허술한 철조망이며 전망 좋은 자리마다 발조차 딛지 못하게 훼방을 놓는다니.

"저길 어떻게 가. 위험해 안돼."

"느이 아버지랑 저기 서서 밑에를 봤어."

"아버지랑 여기 왔어요? 아하."

슬쩍 웃으며 어머니를 쳐다본다.

"이태 전인가. 한의원 들렀다가 느이 아버지가 무슨 바람이 불었는지 가보자더라. 저기, 저 자리서 한참을 밑에만 보더라. 나는 뭐가 뭔지도 모르고 그냥 따라갔는데 다시 봐도 저 자리가 맞다. 저기야, 저기."

"두 분이 데이트하셨네. 그리 좋았수?"

"느 아버지가 가만히 저 자리에 서서 밑에를 내려다보는데, 하이고, 나는 영문도 모르고…… 암말 안 해도 뭐가 뭔지 모르게 오싹 소름이 돋더라. 내가 그만 가자고 해도 느이 아버지가 뭔 생각인지 꿈쩍 않고 저 강물만 보고 섰어. 망부석인가 했다. 사람이란 느낌이란 게 있어. 쪼매 서 있으니 고마 알겠더라. 뭔지 저절로 아는 거야. 나를 밀어버리려고 데리고 간 기지. 눈치가 그래. 사십 년을 서로 한 지붕 아래 살았으니 모를 수가 없어. 선뜻 고요해지면서 휘익 알음이 오더라. 그래 다리가 후들거려서 느이 아버지 등 뒤로 멀찌감치 떨어져 있었거든."

"엄마, 왜 그런 생각을 해?"

"아닌 게 아니라 내가 느 아버지한테 말했다. 나쁜 생각하지 말라고. 그냥 순리대로 살자고. 그 사람이 떳떳했다면 뭔 소리냐, 사람 잡는 소리 말라고 화를 벌컥 내든지 했을 텐데. 아무 소리 안 하대. 돌멩이 던져놓은 물처럼 잠잠하니 고요해. 생각이 너무 깊은 거라. 그날 멀쩡히 집에 와 저녁 해 먹고 각자 자고. 가만 생각하믄 그런 일이 있었던가, 물이 깊은가, 얕은가, 기억이 가물가물한데…… 요 위에 매점 여자 표정이 적이 수상했어. 느이 아버지랑 잘 아는 눈치더라고. 친한 사이인데 모른 척하는 거더라. 자다가도 퍼뜩 생각나. 심장이 두근두근, 다시는 꼭대기 종점에 가나 봐라, 생각 안 하려고 해도 자꾸 생각나. 요새 느이 아버지 나 보는 눈길이 치워버려야 하는 음식쓰레기 보듯이. 나도 알지. 성가시고 귀찮잖아. 수야어미야, 니가 잘 봐라. 저기 떨어지면 죽겠지?"

나는 이토록 센 독백을 감당할 준비가 되어 있지 않다. 어머니 억지에 말려들면 안 된다. 밑을 내려다봤다. 저 강물이 그런 강물인가. 밑으로 내려다보이는 은수천은 고인 물처럼 차분하고 시퍼렇다.

"엄마, 과민해요. 두 분이 너무 힘들어서……. 높은 데서 강물 좀 내려다봤다고 별생각을 다. 울 아빠 나이가 몇인데 매점 여자랑……. 아냐, 아냐, 말도 안 돼."

전화벨이 울린다. 다행이다 싶다. 모진 상상에서 탈주하는 심정으로 주섬주섬 가방을 뒤지는데 어머니는 밑을 내려다보며 중얼거린다.

"느 아버지도 만날 아프거든, 어느 날은 라디오 들으면서 흑흑 울두만, 옛날 노래 들으면 참 슬프거든. 틈만 나면 느이 아버지랑 서로 그러지. 당신이 먼저 가면 내가 초상 잘 치러줄게. 내가 먼저 가면 가진 돈 까먹으며 버티지 말고 서둘러 오시오. 사는 게 쉽나? 길게 살수록 거덜난다. 더 살다가는 집 팔아도 연명이 안 돼. 집 한 채가 이 입이랑 몸뚱이로 홀랑홀랑 들어가. 평생 모은 거 남김없이 털어먹고 갈까 봐 무서워 죽겠다."

끊어진 전화는 모르는 번호다. 바로 전화를 걸었다. 택시 운전기사다. 마침 밑으로 내려가는 손님을 만나 일단 태웠다면서 천천히 둘러보고 있으라고 한다. 다시 오기는 오려나. 시간이 넉넉해지자 한숨 돌린 듯 마음이 느긋해진다. 택시 올 때까지 밑에 가서 강이나 보면서 마음 다독이자고 어머니 손을 잡아끌었다.

"다 털어먹으면 어때서? 이제 호강할 일만 남았어, 뭐가 걱정이야. 엄마, 이번에 공 서방이 사업을 시작할 건데."

어머니는 내 말은 듣지도 않는다. 저기가 그 유명한 자살바위라 사람들이 뛰어내리는 걸 막느라 저 자리에 나뭇단을 쌓아놓은 거라고. 양진 하수처리장 얘기도 한다. 익사체가 양진까지 도착하는데 꼬박 하루가 걸리니 얼마나 좋냐고, 저 물은 희한하게 물에 빠진 즉시 떠오르기 힘든 구조라 죽음을 결심한 사람들을 독하게 홀린다고……. 내 귀를 틀어막고 싶다. 가쁜 숨을 몰아쉬며 느릿느릿 기운 없이 내뱉는 어머니 목소리가 동굴 속 외침처럼 쩌렁쩌렁 울린다. 피로가 몰려온다. 나한테 왜 이러나. 왜들 이렇게 모질고 독한가. 내가 왜 이 좋은 풍경 안에서 이따위 험한 말을 들어야 하나.

어머니를 제치고 걸음을 재촉하자 발이 엇나간다. 내리막길 돌무더기를 마구 밟으며 뛰듯이 걸었다. 물비린내가 물씬 풍기는 강이 바로 앞에 있다. 강은 방금 들었던 끔찍한 말과 다르게 투명하게 출렁이며 속을 드러내고 있다. 가까이서 보니 코웃음이 나올 정도로 수심이 얕다. 그러면 그렇지. 이깟 개울. 이따위 물줄기가 무슨 힘이 있어. 돌멩이를 집어 던졌다. 퐁, 소리와 함께 물이 솟구친다. 겨우 이 정도 깊이인 거다. 이번에는 큰 돌을 던졌다.

펑, 사방으로 물이 튄다.

물그림자가 천천히 일렁거리는 수면 너머 물속은 아기자기한 재미로 가득 차 있다. 투명한 어항처럼 많은 것이 선명하게 보인다. 크고 작은 돌 틈으로 자잘한 송사리 떼가 날렵하게 움직인다. 조금씩 안으로 들어서자 신발코 위로 물거품이 모여든다. 가까이서 보면 별것도 아닌데 어머니는 지레 겁을 집어먹었다. 자살바위? 아버지는 그저 물을 바라봤을 뿐인데 어머니 혼자 흉한 상상에 빠진 것이다.

저게 뭐지? 이질적인 형태가 물속에 있다. 바윗돌이라기엔 정확한 갈색의 네모. 몸을 숙여 들여다보자 출렁거리는 물살에 굴절된 모양새가 또렷하지 않아도 확실히 뭔가가 있다. 가방인가? 지갑인가? 조금씩 안으로 들어갔다. 신발은 어느새 발등까지 젖었다. 마음만 먹으면 얼마든지 건져낼 거리, 만만한 물 깊이. 이제야 내려온 어머니는 물가의 바위에 털썩 주저앉아 물병을 꺼낸다. 나도 목이 마른다. 어머니가 뭐라고 말하는데 물소리 때문에 들리지 않는다. 다시 몸을 굽혀 들여다보자 그것이 보인다. 확실하게 보인다. 바위 사이에 낀 갈색 가방이 어서 꺼내 달라는 듯 제 모습을 또렷하게 드러낸다. 큰 바위를 딛고 다가가자 신발 뒤축에 부풀어 오른 물거품이 넘실넘실, 양말을 적신다.

"엄마, 이렇게 얕은 물에선 수영도 못 해. 땅 짚고 헤엄치기지. 뛰어내려 죽으려면 한강 정도는 되어야. 아이쿠!"

이끼를 밟아 순간 미끄러져 버렸다. 엉덩방아를 찧지 않으려 나뭇가지를 붙잡은 덕에 정강이만 빠졌다. 물이 뿌옇게 흐려지자 갈색 가방이 온데간데없이 사라져버렸다. 물속 바위는 이끼 때문에 참기름 바른 듯 미끄럽고, 뾰족뾰족 튀어나온 자갈 때문에 발바닥이 아파 견딜 수 없다. 뭔가 허전하다 싶은데 오른쪽 신발이 없다. 신발, 내 스니커즈. 금강제화 상품권으로 장만한 내 구두. 강바닥 어딘가에 내 신발이 있을 것이다. 뒤에서 어머니가 뭐하냐고 혀를 찬다. 조심조심 아까시나무 가지를 붙잡고 안으로 들어갔다. 물은 얼음처럼 차갑고 거센 물살에 끌려 들어갈 것 같다.

"야야, 감기 걸린다."

"내 신발 없어졌어. 금강제화 상품권으로 산 거라고. 아껴 신느라 얼마 신지도 못했는데."

뿌옇게 탁해진 물이 가라앉을 동안 기다렸다. 어머니는 나이를 헛먹었냐, 칠칠치 못하게 뭐 하는 짓이냐며 나무라다 신발 사줄 테니 그만 나오라고 혀를 찬다. 어머니가 잔소리할수록 오기가 든다. 물이 탁해서 그렇지, 조금만 기다리면 건져낸다, 큰소리치며 첨벙첨벙 물에 들어갔다. 한기가 들어 덜덜 떨면서 강바닥을 막대기로 마구 휘저었다. 회색 돌은 전부 내 신발로 보인다. 내가 어쩌다 이곳에 와, 강바닥을 뒤지고 있는 건가. 허벅지를 감싼 물살이 허리가 휠 정도로 억세게 휘몰아쳤다. 내 스니커즈를 찾지 못하면 어쩌나.

막대기로 강바닥을 들쑤셔댈수록 물은 뿌옇게 탁해져 보이는 게 없다. 내 신발 내놔라, 내 신발을 다오! 휘젓던

막대기가 강바닥으로 쑥 박히며 동시에 휘청, 하마터면 빨려 들어갈 뻔했다. 이건 강이 아니라 늪인 건가. 정말 이 강에 몸을 던지는 사람이 있었을까. 몸을 던진 게 아니라 인생을 던진 거겠지. 아버지는 무슨 생각으로 어머니를 끌고 저 자리에 섰던 걸까. 어머니가 잘못 넘겨짚었다고 해도 슬몃슬몃 떠오르는 광경이 나를 괴롭힌다. 서로 언성을 높이며 싸우던 두 사람. 조강지처 먹여 살린답시고 내가 무슨 짓까지 한 줄 아느냐며 밥상을 엎던 아버지. 어머니라고 가만히 있지 않았다. 조강지처가 아니라 느이 백씨 핏줄 거둬 먹이느라 그랬지, 왜 우리를 엮어 넣느냐고 악을 쓰며 울던 어머니.

톡 쏘듯 진한 물비린내가 온몸을 휘감는다. 얼마나 쑤셔댔나. 어깨가 결리고 등줄기가 시큰거린다. 아버지가 이 강에 어머니를 밀어 넣으려 한다? 부부란 얼마나 무서운 사이인가. 사십 년을 한 지붕 이게 살아도 서로를 의심하는 게 사람이로구나. 생각이 그리로 미치자 강바닥을 후벼 파는 막대기에 힘이 실린다. 기계적으로 누런 흙탕물을 쑤셔댄다. 열 길 물속도 모르겠고 한 길 사람 속은 더 모르겠다. 두 사람 마음이 그토록 지옥인데 셀프세차장이 다 뭐란 말인가.

어머니 역성을 귓등으로 넘기고 안으로 슬슬 들어간다. 멀리서는 졸졸졸 흐르는 시냇물로 보였으나 강물은 힘차게 용트림하고 있다. 내 허벅지를 감싼 물줄기의 완력이란 가늠하기 어려울 만큼 무시무시하다. 비릿한 물이 얼굴에 튀어 입속으로 들어온다. 가만히 버텨도 발은 쑥쑥 빠지고 물살이 부딪치는 힘이 엄청나다. 더 들어가면 그대로 휩쓸릴 것 같다. 신발을 미끼 삼아 나를 낚아채려는 건가. 이대로 강에 빠지면 나는 어디로 갈까.

흙범벅인 양말로 사금파리가 없는 맨땅만 골라 딛는다. 물기를 뚝뚝 흘리며 왼발에 힘을 싣고 경중경중 걷는다. 고작 신발 한 짝 잃었을 뿐인데 세상 전부를 잃은 듯 막막하다. 반바지는 척척하게 젖어 허벅지에 감기고 한기에 온몸이 덜덜 떨린다. 택시를 타고 나가 시내에서 아무 신발이나 하나 사 신으면 그만이나 어쩌다가 이런 일이 벌어졌을까. 어머니는 신발을 벗어 주며 바꿔 신자고 한다. 신발 대신 지팡이를 빌렸다. 어머니 손을 잡고 나란히 붙어 지팡이에 의지해 조금씩 앞으로 나아간다. 강물은 아무 일 없었다는 듯 태연하게 흐른다.

"수야야, 매점 가보자. 뭐시 파는 게 많던데, 신발이 있을지 모르지."

"산꼭대기 매점에서 무슨 신발을 판다고, 아하, 이참에 매점 여자 얼굴을 보시겠다? 이왕 여기까지 왔으니 엄마하고 싶은 거 다 해요."

보란 듯 과장되게 겅중거리자 오른쪽 발바닥만이 아니라 다리 자체가 망가진 느낌이고, 마치 처음부터 장애를 갖고 태어난 것처럼 기가 죽는다. 그저 신발을 잃어버렸을 뿐, 멀쩡한 다리로 걸으면서 나 혼자 불리한 레이스에 참여한 기분이다. 이미니는 과자 봉지를 사서 발바닥에 붙이면 덜 아플 거라며 매점 문을 연다.

간이매점 안을 들여다본다. 사람이 보이지 않는다. 음

료수와 과자, 그리고 일회용휴지 등이 가지런하게 진열되어 있는데 알록달록 다양한 조화 묶음이 이채롭다. 근처에 공원묘지가 있나? 예상대로 신발은 없다. 바로 옆건물의 화장실로 들어가 어머니와 나란히 볼일을 보고 손을 박박 씻었다. 흙투성이 양말을 벗어 씻고 싶은 마음이 굴뚝 같지만 달리 방법이 없다. 먼저 매점으로 들어가 캔커피와 녹차를 고르는데 다부진 체격의 여자가 나타나 내 꼴을 보고 놀란다.

"아이고, 물에 빠지셨어요? 큰일 날 뻔했네. 여기 의외로 수심이 깊어요."

"신발은 안 파시죠? 혹시 신던 거라도 좋으니 저한테 파실래요? 슬리퍼든 뭐든 아무거나 제발 부탁드려요."

잠깐 기다리라며 여자가 드르륵 미닫이문을 열고 안으로 들어간다. 어머니 예상은 틀린 것 같다. 매점 여자는 아버지가 좋아할 인상이 아니다. 누군가의 내연녀가 되기보다 불륜 상대의 머리채를 잡는 게 더 어울릴 억세고 강인한 분위기다. 여자가 낡은 삼선슬리퍼와 새 양말을 가지고 나온다. 계산을 하려 카드를 꺼내는데 매점에 들어오는 어머니를 본 여자가 놀란다. 한쪽 신을 벗고 나타난 나를 발견했을 때보다 더 노골적으로 놀란 표정을 짓는다.

"어머, 버스 시간이 아닌데. 언제 오셨어요? 혼자서요?"

어머니는 당황한 얼굴로 나를 가리킨다.

"우리 딸이랑 왔어요. 아줌마가 날 알아보네?"

매점 여자는 내게 카드와 영수증을 주면서 매점 밖을 두리번거린다.

"바깥…… 어르신은요? 괜찮으세요?"

여자의 물음에 어머니가 나를 쳐다본다. 내 아버지 근황을 왜 묻지? 뭔가 수상하다고 생각한 찰라, 어머니가 퉁명스럽게 묻는다.

"우리 남편 잘 알아요? 아이고, 다리야. 나 여기 좀 앉을게. 근데 아줌마가 내 남편을 왜 찾아?"

어머니는 딸을 믿고 날 선 음성으로 묻는다. 혼자라면

아무에게나 저렇게 대하지 않는 어머니인데. 매점 안에
는 십자가와 반야심경 산스크리스트어 전문이며 묵주가
걸려 있는 마리아상과 부처 그림이 여기저기 걸렸다. 종
교 대통합의 매점인가. 내가 끼어들었다.

"우리 아버지 여기 자주 오세요?"

"어제…… 음, 자주는 아니고. 예전 회사 분들이랑 오셔
서 막걸리 한 잔씩 하시거든요."

"여기가 술집이구만. 술장사하는 여자로구나."

일부러 긁어대는 어머니 말투가 위태로워 매점 여자
눈치를 살폈다. 매점 여자는 혼자 한숨을 푹 쉬더니 온장
고에서 베지밀을 꺼내 빨대를 꽂아 어머니에게 권한다.

"이거 따스하니까 드세요."

"됐수, 내가 왜 공으로 얻어먹어, 나도 돈 있어."

어머니가 탁자 위의 베지밀을 쓱 밀어낸다.

"아주머니, 저번에 바깥 어르신이랑 오셨죠? 여기 술집
아니고 매점이에요. 저 술장사 아닙니다. 죽으러 오는 사
람들 붙잡고 설득하느라 생명의 전화 교육에 상담사 자

격증도 있어요. 이 꼭대기에서 제가 뭘 하겠어요. 저 이래 봬도 사명감으로 일해요."

"사명감이요?"

"내 동생이 여기서 떨어졌거든요. 아는 사람은 다 알아요. 아이엠에프 때부터 여기가…… 그렇게 하신 분이 많아요. 이 지역 공단 피해가 제일 많았어서. 와르르 무너졌죠. 자세히는 모르지만, 바깥 어르신 동료분들도 여기서 그렇게…… 요즘 들어 부쩍 여기를 자주 오시고."

좁은 매점 안 공기가 묵직하게 가라앉았다. 어색한 침묵을 먼저 깨버리고 싶은데 입이 떨어지지 않는다. 이럴 때는 사과부터 해야 하나, 동생분의 명복을 빈다고 해야 하나, 뭐라 말해야 할까.

"술집 아닌 줄 알아요. 나쁜 뜻으로 한 말은 아니고요."

매점 여자가 뜸을 들이자 어머니가 다그친다.

"아까 아줌마가 대번에 날 알아보데? 내가 우리 양반 따라 여 왔잖소. 박카스랑 아침햇살 드링크 여서 사 묵었고."

어머니가 낭떠러지에 아버지와 나란히 섰던 얘기를 하는데 전화벨이 울린다. 택시기사다. 다행이다 싶어 양말과 슬리퍼를 들고 나가 전화를 받았다. 기사는 이제 택시를 몰고 종점 꼭대기로 출발하는 중이라고 한다. 다행이다. 그나마 다행이다. 어서 집에 돌아가고 싶다.

화장실에 들어가 흙투성이 양말을 벗고 물을 부어 발을 씻는다. 화장실 안에는 남성용 변기와 여성용 좌변기가 칸 하나를 사이에 두고 나란히 있다. 발 씻은 자리의 흙탕물은 바가지로 물을 붓고 슬리퍼도 깨끗이 씻어 화장실 휴지로 물기를 닦는다.

화장실 벽면과 문짝에 부처님 그림과 함께 말씀 여러 개가 빼곡하다. 십자가와 성경 구절 목판도 온화한 글씨체로 적혀 있다. 〈과거가 얼마나 힘들었든 너는 언제고 다시 시작할 수 있다〉 〈행복으로 가는 길은 없다, 행복이 곧 길이다〉 〈당신은 혼자가 아닙니다〉 가만 생각하니 여기에만 있는 게 아니다. 아까 어머니와 함께 갔던 낭떠러지에도 이런 문구가 붙어 있었다. 보건복지 콜센터와

119 구조대, 정신건강증진센터, 위기상담전화, 자살예방 전문상담전화 1393이라고 적힌 스티커가 거울 밑에 잔뜩 붙었다. 장기매매 알선스티커는 누군가 전화번호를 뜯어낸 흔적만 남아 있지만 몇 글자만 봐도 알 만한 내용이다.

한 짝만 남은 스니커즈를 쓰레기통에 툭 버리자 문득 이상하다. 내게 무슨 일이 일어난 건가. 아주 먼 데로 여행 온 기분이다. 정신을 차리고 창문 너머 초록빛 풍경을 바라본다. 숨을 크게 들이마시고, 내쉰다. 이곳이 아무리 생경해도 내 집과 지척이다. 쓰레기통에서 신발을 도로 주워들었다. 산꼭대기라 쓰레기 치우기도 만만치 않을 테니 굳이 일감을 보태주지 말자. 신발 바닥의 흙을 씻은 다음 봉지에 담아 가방에 넣었다. 화장실 창문으로 보이는 소나무 숲 절경이 여태 봤던 그 어떤 풍경보다 아름답다. 구불구불 꺾어진 소나무 가지와 고닉풍의 등불 사이에 든 새파란 하늘은 눈이 시릴 정도다.

마주 보고 앉은 어머니와 여자는 고개를 푹 숙이고 뭔

가를 얘기하는 중이다. 여자는 어머니를 토닥토닥 달래는 중이고 어머니는 머리를 푹 숙이고 있어 얼굴이 보이지 않는다. 매점 여자는 인자한 선생님 같고 어머니는 시험을 망친 아이처럼 보인다. 왜 그런지 몰라도, 어머니는 위로받고 있는 것 같다. 누구나 그럴 때가 있다. 때로 피붙이보다 낯선 사람이 낫다. 전혀 모르는 사람이 편할 때가 있다.

택시를 기다리며 매점 밖에서 서성댄다. 슬리퍼 한 짝이 보충되자 양발에 날개를 단 것처럼 홀가분하다. 어머니만 아니면 혼자서 충분히 걸어갈 텐데. 매점 여자는 통화 중이고 어머니는 그 옆에 바싹 붙어 전화기를 바라보고 있다. 어머니 얼굴이 예사롭지 않다. 내가 신발을 잃어버렸을 때처럼 황망한 표정이다. 피로해서 그런 모양이다. 어서 집에 돌아가 쉬어야 한다. 자동차 엔진 소리가 밑에서 들려 소나무 밑으로 내려가자 이내 택시 경적이 울린다. 매점에 들어가 택시가 왔다고 알렸다. 어머니 안색이 좋지 않다.

택시를 향해 내려가는 동안 매점 여자는 어머니를 부축하며 손을 꽉 부여잡는다.

"엄마, 어디 안 좋아요? 혈압약 갖고 있지, 지금 약 드실래?"

가방을 끌어당기자 어머니는 허옇게 뜬 얼굴로 고개를 내저었고 나는 매점 여자에게 무슨 일이냐고 눈짓으로 묻는다. 여자는 여전히 선생 같은 표정으로 어머니의 손을 힘껏 잡으며 말한다.

"아닐지도 몰라요. 아닐 수도 있으니 너무 걱정하지 마세요."

두 사람이 나누는 눈길이 허공 같다. 텅 비어 아무것도 없다. 뭔가 이상하다. 여기 올 때부터 이상했고 지금까지 내내 모든 게 이상하게 돌아가 나를 휩쓸어가 버렸다. 그저 소리만 아우성을 피운다. 내 신발을 잡아 먹은 은수천의 물소리가 굉음처럼 요란하다.

택시에 오르자 어머니는 양진 하수처리장으로 가자고 말한다. 택시기사가 흠칫 놀라 뒤돌아본다. 나도 놀랐다.

"엄마, 거길 왜 가?"

어머니는 대답 대신 허리를 곧추세우고 앞 좌석 목 받침을 부여잡는다. 택시가 가파른 언덕을 내려가자 몸이 앞으로 쏠린다. 어머니는 멍하니 앞만 응시하고 택시기사는 백미러로 우리를 번갈아 살피며 내리막길의 속도를 조종한다.

"나 수야 찾으러 가야 해. 오늘 말고 다음에 갑시다."

날은 화창한데 왠지 느낌이 좋지 않다. 아니 무참해진 기분이다. 허옇게 질린 어머니 안색을 살피다 휴대전화를 꺼내 시간을 본다. 작은아버지와 동생이 전화를 걸었나 보다. 가방에 넣어둔 신발 한 짝을 다시 보니 참으로 형편없이 낡았다. 뒤축은 깎은 듯 닳았고 깊은 주름마다 군데군데 가죽이 벗겨졌다. 자주 신지도 않았는데 어느새 이렇게 되었다.

택시 값을 들인 덕에 수야 찾으러 갈 시간은 아직 넉넉하다. 지금쯤 남편은 부동산에 집을 내놨을 것이다. 셀프 세차장을 열면 한동안은 정신없이 뛰어야 할 것이다. 남편은 세차장 일을 거들어 달라지만 나는 나대로 따로 벌어야 아버지에게 생활비라도 찔러줄 수 있다. 우리에겐 소중한 미래가 있고 아직 젊으니까 뭐든 할 수 있다. 아직 시작도 하지 않았는데 왜 이리 지치는 걸까.

삶의 번역으로서의 소설

— 명지현의 「파커」와 「은수천」

이명원

문학평론가

명지현의 소설을 읽으면서, 소설 쓰기와 번역의 문제에 대해 생각하게 된다. 「파커」 도입부에서의 설정 자체가 가상의 인물인 "석유왕 맥킨리"의 자전적 저작을 번역하는 데서 나타나는 어려움을 모티프로 한 것이기도 하지만, 어떤 면에서 보면 이 '번역'이야말로 소설 쓰기와 삶에 대한 하나의 은유라고 생각되었기 때문이다.

그것은 단순히 '출발어'를 '도착어'로 내응시키는 일이 아니다. 가령 「파커」의 경우 원전을 이루는 출발어는 영어이고, 소설의 화자가 번역 불가능성 앞에서 고투하는 언어는 한국어다. 소설 속에서 크나큰 곤란을 초래하는 "Parker"라는 단어는 그것이 쓰인 문맥을 정확하게 파악할 수 없다면, 소설에서처럼 대응될 수 있는 한국어 단어를 찾지 못한 채 그저 "파커"라는 외래어만을 읊조리게 만들 것이다.

액자소설의 형태를 띠고 있는 이 소설의 내화(內話)에서의 종말론적 이단 체험의 경험을 연결시키게 되었던 단어는 "rapture"이다. 이 단어 역시 문맥에 따라 "황홀"로도 마술적 구원의 개념을 담고 있는 "휴거"로도 번역될 수 있다. 하지만 소설 속에서 맥킨리가 진행하고 있는 석유채굴과 연관된 개념으로 사용된다면, 그것에 정확히 대응되는 도착어인 한국어 단어와 표현을 찾는 것은 역시 난관이 된다.

번역이라는 행위 속에서 우리는 출발어와 도착어의 한없는 미끄러짐과 빈틈, 불일치를 경험한다. 계통이 다른 언어 사이에서 의미상의 긴밀한 상응(correspondence) 관계를 확정하기는 어렵다. 이것은 굳이 언어학자 소쉬르를 언급하지 않더라도 번역 불가능성이라는 익숙한 난제를 우리에게 확인시키는데, "Parker"라는 기표 앞에서 그것의 기의뿐만 아니라, 이에 상응하는 한국어 표현을 찾지 못하고, 악무한적 번민에 빠져 있는 인물에 대한 묘사는, 알레고리적으로 해석하면 소설 쓰기의 난관을 소설가가 고백하는 것으로도 이해할 수 있다.

번역을 하나의 은유로 수용한다면, 소설 쓰기란 삶의 근원적인 의미와 사건을 하나의 작위(作爲)로 구성하는 행위이다. 소설 속의 등장인물은 우리가 살아가고 있는 언뜻 무질서한 형태로 지속되는 일상 속에서, 삶에 대한 어떤 본질적 태도와 가치지향을 응축하거나 체현하는 상징으로 기능한다. 소설 속의 인물이 보여주는 경험, 내면, 세계관과 신념 등이 한 인물의 성격으로 응축되면서, 이 인물과 세계와의 거리, 관계, 태도 등을 상징적으로 제시한다.

두 편의 소설 속에서 명지현이 제시하고 있는 인물들은 소설의 톤이나 등장인물이 처해 있는 상황이 표면적으로는 상이해 보이지만, 이 이질적 인물들 사이에서도 어쩌면 가족 유사성과 흡사한 하나의 공통된 태도를 추출할 수는 있다. 그것은 무엇일까? 자신이 처해 있는 상황을 명료하고 투명하게 설명할 수 없다는 불가지(不可知) 혹은 불가해(不可解)의 태도로 세계를 인식하고 있다는 점에 있지 않을까.

「파커」에서 여러 형태로 변형되는 '구멍' 이미지, 즉 유정(油井), 항문, 언어의 빈틈 등은 "휴거"라는 초월의 대타항으로서의 내부초월인 동시에 전락(轉落)의 의미로 나타난다. 일종의 실버 소설로 노년의 불안을 상기시키는 듯한 작품인 「은수천」에서의, 그 산정에 있는 '은수천'이란 아마도 삶의 구멍과도 같은 '심연'을 의미하는 것일 터이다. 이는 소설 속에서 명백하게 죽음을 상기시키는 공간적 표지(標識)이지만, 왜 소설 속의 노년의 여성이 그 심연 앞에서 자신의 죽음 혹은 남편의 잠재적 죽음에 불안을 느끼는가 하는 점은 역시 명료하게 설명되지 않는다. 그러면서도 죽음에 대한 감각은 매우 생생하게 서사적으로 진술되고 있기 때문에, 그것은 불가지 혹은 불가해의 죽음 의식으로 느껴진다.

소설로 돌아가면, 「파커」의 경우는 액자소설의 형태를 띠면서, 번역자인 '나'가 꿈속에서 경험하는 여러 사건들, 이를테면 석유왕 맥킨리와의 대화, 휴거 소동을 거쳤던 이단 종말론의 체험, 그 과정 속에서 계약적 동성애에 빠지게 된 경험과 같은 부조리한 사건의 파편들이 영화에서의 몽타주 기법으로 결합되면서, 번역 불가능/이해 불가능한 삶이 분비하는 정동(affect)을 활달하게 드러낸다. 번역 작업으로 고투하다 잠에 빠져들어 인과론적으로 연결될 수 없는 여러 꿈을 동시에 꾸게 된다는 설정은 꿈 자체의 속성이 환유적 구조를 갖고 있다는 점을 고려하면 적절한 서사적 고려라고 생각된다.

휴거로 상징되는 기독교적 종말론의 도입은 이 소설 속에서 부조리를 극대화시키지만, 이에 임하는 화자와 가족들의 광신적 몰입은 충분한 리얼리티를 보여주고 있기 때문에, 별로 어색하게 느껴지지 않는다. 기독교적 구원론 자체가 하나의 교리적 가설로 논리적이거나 합리적인 근거에 기반하지 않은 가열한 '믿음'의 영역에 속하는 것이기 때문에, 신앙과 광신 사이의 거리는 생각보다 멀지 않다는 것을 생각할 수도 있겠다. 다만 부목사와 나 사이에 전개되는 계약적 동성애 관계, 그러니까 빚을 갚기 위해 이들이 지속적으로 관계를 맺어나간다는 설정은 다소는 과장된 것으로 보일 수도 있다. 그러나 이조차도 종말론적 체험을 오랫동안 공유한 두 인물 간의 은밀하게 지속된 행위라는 점을 고려하면 개연성이 있는 설정이라고 볼 수 있다.

반면, 「은수천」의 경우는 단편소설의 가장 전형적 형식으로 노년에 이른 부부 간의 미묘한 불신과 내적 갈등, 그리고 '죽음 의식'을 잘 표현하고 있다. 물론 이것은 직접적으로 드러나기보다는 화자이자 관찰자로서의 딸인 "나"에 의해 유추된 생각이다. 이 소설에서 그 죽음 의식과 불안을 공간적 상징이라는 장치로 제시되는 것이 은수천이다. 그것은 은수산의 산정에서 발원해 복개된 도로 밑을 흘러, 이틀 만에 먼 거리의 양진 하수처리장에 도달한다고 소설 속에서 물의 흐름이 설명된다. 기묘한 느낌이 들게 하는 것은 일단 한번 물에 빠지게 되면 "물길이 콘크리트 밑으로 흐르니 암만 뒤져도 못 찾"는다는 운전기사의 설명에서인데, 그런 까닭인지 많은 이들이 은수천에서 죽음을 결행했다고 소설의 또다른 한 인물은 설명하고 있다. 실제로 소설의 화자는 은수천에 우연히 빠지게 되고, 이 경험을 통해 죽음으로의 잠재적 위험성을 체감하게 되는 에피소드도 보충된다.

「파커」와 「은수천」은 종말론적 체험과 죽음 의식을 떨쳐버릴 수 없는 인물들의 회상이나 진술을 토대로 소설이 전개되어 나간다는 점에서, 삶의 불가해성과 부조리성이 노골적으로, 때로는 암시적으로 드러나는 작품이지만, 그렇다고 해서 이 소설들이 '비현실감'을 초래하는 것은 아니다. 반대로 이 두 편의 소설들을 읽어나가다 보면 소설에의 몰입에 따른 서사적 '사실감' 혹은 '현실감'이 강하다.

가령 「파커」에서 사실감을 가장 강하게 부각시키는 것은, 소설의 도입부에서의 번역 작업에 대한 대단히 자의식으로 가득찬 화자의 꼼꼼한 진술이다. 번역 과정에 따르는 디테일의 사실성이 활달하게 살아 있고, 번역 대상인 이른바 "석유왕 맥킨리"의 활동에 대한 번역자 혹은 화자의 비판적 감정 역시 생생하다. 그러니까 소설의 외화(外話)의 경우는 디테일한 사실성을 한껏 높인 반면, 꿈 속의 사건이나 회상에 해당되는 부분에 있어서는 환상성과 풍자성을 자유롭게 펼치는 수법을 활용함으로써, 화자가 처해 있는 "부유하는" 감각적 불안정성을 생생하게 표현할 수 있게 되는 것이다. "맥킨리의 문장이 없으면 나는 없다. 나 같은 건 없어봤자 아무 상관이 없는 이 세계"와 같은 표현을 통해, 우리로 하여금 화자의 내면풍경을 생생하게 실감하게 만들면서, 번역 작업의 본질이나 소설 쓰기의 은유적 의미에 대해서도 아울러 생각하게 만든다.

「은수천」의 경우는 어머니의 죽음에 대한 불안 의식,

어쩌면 자살했을지도 모른다는 아버지의 실종이 소설의 내적 긴장을 시종일관 초래하고 있지만, 그것이 잠재적 사건의 사실감과 현실감을 높이는 것은 아니다. 소설을 읽어보면, 1990년대 후반의 구제금융 사태 이후 기업 등의 도산 등으로 경제적 박해 상태에 노출된 사람들이 은 수천에서 여러 명 자살했다는 설정이 나오고 있다. 하지만 이러한 진술이 아버지의 자살의 결행 가능성을 설득력 있게 높이는 것처럼 보이지는 않는다.

반대로 나는 소설을 읽어나가면서, 죽음에 대한 불안 혹은 죽음 의식으로 충만한 어머니와 아버지를 관찰하고, 해석하고, 유추하고 있는 화자인 "나"의 생활상의 긴박한 처지에 대한 진술이 이 소설의 상황적 리얼리티를 높이고 있는 것처럼 느껴졌다. 전세보증금을 빼서 새로운 사업인 셀프세차장에 투자해야 한다는 것, 그러자면 주거불안을 해소하기 위한 유일한 전망은 처가로의 힙가(合家) 외에는 방법이 없다는 것, 그런데 부모의 경제적 처지를 보니, 자신들과 별다를 것 없는 어려움에 처해 있고,

거기에 더해 난데없이 부모 모두 죽음 의식에 빠져 있어 혼란스럽기 그지없다는 것. 이런 유의 일상적·현실적·세태적 고민에 대한 디테일한 서술이 자칫 '은수천'에서 관념적 죽음 의식으로 시종할 뻔한 이 소설의 현실감을 서사적으로 보충하고 있는 것이다.

명지현의 두 편의 소설을 읽으면서, 나는 주제의식이나 형식에서는 판이하지만 하나의 공통된 태도를 발견할 수 있다고 생각했다. 그것은 '삶의 번역으로서의 소설 쓰기'라는 작가적 태도이다.

「파커」의 경우는 명백하게 번역이라는 모티프를 통해, 번역될 수 없는 자기 삶의 존재 근거 혹은 의미를 찾고자 하는 화자의 악무한적 고투를 보여준다. 그런데 소설을 읽다 보면, 그 목표가 성취되기보다는 끝없는 실패의 반복으로 나타난다. 아마도 이것이 변덕스런 삶의 악무한성일 것이다. 이것은 소설 속에서 번역 작업이 번번이 실패하고 지연되는 상황으로도 암시된다. 「은수천」에서는 화자인 "나"가 그간 간과하고 있었던 부모의 삶과 죽음 의식을 이해·공감하려는 태도를 통해, 그들의 삶을 자신의 삶의 안쪽으로 수렴시키는 공감 능력을 보여준다. 타인의 삶을 적극적으로 이해하고 공감하고자 한다는 것은, 은유적으로 말하면, 그것을 자기식으로 온전하게 번역하는 것을 의미한다. 타인의 내면을 번역하는 일. 이것이 소설이다.

이런 관점에 서면, 명지현의 두 편의 소설은 부조리한 경험과 편력을 의미화하여 스스로에게 이해시키는 작업(「파커」)임과 동시에 타인의 불가해한 삶을 적극적으로 이해하고 공감하는 작업(「은수천」)으로서의 '삶의 번역'이라는 관점에서 이해될 수 있다.

물론 우리가 「파커」를 읽어나가면서 알게 되었듯이, 진정으로 스스로를 긍정하고 자신의 삶으로부터 명료하고 확실한 존재 의미를 찾아내는 일은 어렵다. 육친이라 할지라도 「은수천」에 등장하는 딸처럼, 부모의 죽음에 대한 불안을 온전히 이해하고 공감하는 것은 어렵다. 이해나 공감 모두는 언제나 실패 가능성으로 가득 차 있다.

그러나 중요한 것은 소설 쓰기란 이 명백한 실패 가능성 혹은 번역 불가능한 삶의 고유성 앞에서, 체념하지 않고 그것의 의미를 끝없이 묻고 탐구한다는 점에 있다. 명지현에게 소설 쓰기란 불가지 혹은 불가해의 영역으로 머무를 수도 있는 타자와 세계를 소설을 통해서 개성적으로 묻고자 하는 데 있는 것인지도 모른다. 그런 점에서 보면, 소설 쓰기란 「파커」에서 맥킨리의 초상과 정념을 번역하고자 하는 악전고투의 작업과 유사한 것인지 모른다. 맥킨리의 문장 앞에서 화자가 "맥킨리의 문장이 없으면 나는 없다. 나 같은 건 없어봤자 아무 상관이 없는 이세계"라고 독백하는 진술을 참조해 볼 때, 이 '번역'이라는 상징적 행위에 대한 묘사와 진술은 소설 쓰기에 대한 명백한 알레고리적 은유로 이해될 수 있다.

등장인물의 삶과 세계가 개성적으로 구축될 수 없다면, 작가란 그 존재 의미를 명백하게 상실한다. 소설 속의 인물들의 행위와 정념은 작가에 의해 번역된 삶과 세계다. 「파커」와 「은수천」은 그렇게 작가에 의해서 번역된,

우리가 살고 있는 세계의 한 상상적·실제적 단면이다. 물론 소설 속에 묘사된 허구적 삶의 의미를 일차적으로 번역한 것은 작가이지만, 그것의 최종적인 번역과 해석의 몫은 독자에게 있다. 우리는 모두 진정한 삶의 번역자다.

지난 주말 우리 개가 멀리 떠났다.

김포의 반려견 화장터로 향하는 길, 가족들은 몹시 지쳐 있었다.

녀석의 암 투병이 너무 혹독했기에 이제 더는 아프지 않아 다행이라고, 여기려 애쓰는 중이다.

그럼에도 작별이란 참으로 힘들다.

오래전부터 지인들이 내게 묻곤 했다. 느이 개 몇 살이니? 나이가 몇이야?

나는 그 질문이 유독 힘들고 아팠나.

삼 년 전이던가. 친구는 내 답변을 듣자마자 스마트폰으로 검색해 사람 나이로 구십 살이라고 했다. 그때만 해도 우리 개는 잘 뛰고 잘 먹고 파릇파릇 건강한데 구십 살이란다.

내 어머니가 돌아가시고 아버지가 돌아가시고 형제가 죽고. 어릴 적 친한 친구도 둘이나 잃었다. 그렇게 계속 잃어왔기에 나날이 늙어가는 개를 바라보던 나의 심경이 란. 그래서 나는 우리 개 나이를 잊어버렸다. 잊고 싶었 다. 숫자 따위 알게 뭔가.

가능하다면, 가능할 수 있다면 무슨 노력을 해서라도 작별만은 막고 싶었다. 더는 잃기 싫었다. 그만 잃었으면 했다.

녀석이 떠난 뒤에도 항암 식이요법이며 진통제 먹이는 시간 때문에 토막토막 끊어놓았던 내 잠이 쉬이 연결되 지 않는다. 밤마다 이부자리에 누워 미국에서 제공하는 전 세계 COVID-19 대시보드를 스마트폰으로 확인한다.

각 나라의 확진자와 사망자의 숫자, 숫자들. 빼곡한 숫 자들 사이로 괄호 안에 든 빨간색 플러스 숫자는 오늘 증

가한 확진자와 사망자다.

사람 하나의 생명은 얼마만큼 무거운지, 가족을 잃은 유족들은 지금 어떻게 견디고 있을지. 수없이 많은 사례를 떠듬떠듬 생각하고 상상하다, 잊으려고 노력하다가 그새 불어난 사망자 숫자에 질겁하고 만다. 이 글을 쓰는 순간 총 630,270명이 코로나바이러스로 숨을 거뒀다.

엄청난 슬픔이 우리 안에서, 밖에서 계속 파생되고 있다.

언제쯤이면 괜찮아질까.

언제쯤이면 아무 걱정 없이 웃을 수 있을까.

내 옆에 웅크리고 누웠던 녀석이 온데간데없어져 몹시 적적한 이 밤.

또 비가 온다.

모두가 안전하고 건강하기를.

2020년 7월

경驚.기記.문文.학學 41

파커

명지현 소설집

초판 1쇄 발행 2020년 9월 15일

지은이	명지현
펴낸이	김태형
펴낸곳	청색종이
등록	2015년 4월 23일 제374-2015-000043호
주소	서울시 영등포구 문래동2가 14-15
전화	010-4327-3810
팩스	02-6280-5813
이메일	theotherk@gmail.com

ISBN 979-11-89176-41-9 03810

이 도서의 국립중앙도서관 출판예정도서목록(CIP)은 서지정보유통지원시스템 홈페이지(http://seoji.nl.go.kr)와 국가자료공동목록시스템(http://www.nl.go.kr/kolisnet)에서 이용하실 수 있습니다.(CIP제어번호: CIP2020036252)

이 도서는 경기도, 경기문화재단의 문예진흥기금으로 발간되었습니다. 저작권법에 따라 보호받는 저작물이므로 저작권자와 출판사의 허락 없이 복제하거나 다른 용도로 사용할 수 없습니다.

값 6,800원